P9-DMW-641

COLLECTION LANGUE ET CULTURE
DIRIGÉE PAR JEAN-CLAUDE CORBEIL

LES EXERCICES DU

MULTI

DICTIONNAIRE

DE LA LANGUE FRANÇAISE

CAHIER 4

CORRIGÉ INCLUS

LILIANE MICHAUD

SOUS LA DIRECTION DE MARIE-ÉVA DE VILLERS

LES EXERCICES DU

MULTI

DICTIONNAIRE

DE LA LANGUE FRANÇAISE

- ► TESTEZ VOS CONNAISSANCES
- ► DÉJOUEZ LES PIÈGES DE LA LANGUE
- ► ACTUALISEZ DES NOTIONS OUBLIÉES

CAHIER 4

Accords et
exercices variés

Québec Amérique

DIRECTION

PRÉSIDENT : JACQUES FORTIN
DIRECTRICE GÉNÉRALE : CAROLINE FORTIN
DIRECTRICE DES ÉDITIONS : MARTINE PODESTO

CONCEPTION ET RÉDACTION

LILIANE MICHAUD

LECTURE-CORRECTION

MYRIAM CARON BELZILE

. PRODUCTION

CHARGÉ DE PROJET : MICHEL VIAU
RESPONSABLE DE L'IMPRESSION : SALVATORE PARISI

ILLUSTRATIONS

CHRISTIAN TIFFET

MISE EN PAGES

PASCAL GOYETTE
KARINE LÉVESQUE
JULIE VILLEMAIRE

PROGRAMMATION

GABRIEL TRUDEAU-ST-HILAIRE

PRÉIMPRESSION

FRANÇOIS HÉNAULT

CONTRIBUTIONS

QUÉBEC AMÉRIQUE REMERCIE LES PERSONNES SUIVANTES
POUR LEUR CONTRIBUTION AU PRÉSENT OUVRAGE :
A CAPELLA DESIGN COMMUNICATION,
MARIE-ÉVA DE VILLERS.

Les Éditions Québec Amérique inc.
329, rue de la Commune Ouest, 3e étage
Montréal (Québec) H2Y 2E1
Téléphone : 514 499-3000, télécopieur : 514 499-3010
www.multidictionnaire.com
www.quebec-amerique.com
www.ikonet.com

© Les Éditions Québec Amérique inc., 2013. Tous droits réservés.

Il est interdit de reproduire ou d'utiliser le contenu de cet
ouvrage, sous quelque forme et par quelque moyen que ce soit —
reproduction électronique ou mécanique, y compris la photocopie
et l'enregistrement — sans la permission écrite de Les Éditions
Québec Amérique inc.

Nous reconnaissons l'aide financière du gouvernement du Canada
par l'entremise du Fonds du livre du Canada pour nos activités
d'édition.

Les Éditions Québec Amérique inc. tiennent également à remercier
l'organisme suivant pour son appui financier :

Gouvernement du Québec — Programme de crédits d'impôts
pour l'édition de livres — Gestion SODEC.

Imprimé et relié au Québec.
524, Version 1.0

**Catalogage avant publication de Bibliothèque et Archives
nationales du Québec et Bibliothèque et Archives Canada**

Michaud, Liliane
Les exercices du Multidictionnaire de la langue française : cahier
(Collection Langue et culture)
Comprend un index.
Sommaire: 3. Orthographe et exercices variés. 4. Accords et
exercices variés.

ISBN 978-2-7644-1126-1 (v. 3)
ISBN 978-2-7644-1127-8 (v. 4)

1. Français (Langue) - Problèmes et exercices. 2. Français (Langue)
- Orthographe - Problèmes et exercices. 3. Français (Langue) -
Accord - Problèmes et exercices. I. Villers, Marie-Éva de, 1945-   .
Multidictionnaire de la langue française. II. Titre. III. Collection:
Collection Langue et culture.

PC2625.V54 2009 Suppl.   443   C2011-941108-3

Dépôt légal : 2013
Bibliothèque nationale du Québec
Bibliothèque nationale du Canada

TABLE DES MATIÈRES

ALPHABET PHONÉTIQUE

ALPHABET PHONÉTIQUE
ASSOCIATION PHONÉTIQUE INTERNATIONALE

VOYELLES	CONSONNES	SEMI-CONSONNES
[i] lyre, riz	[p] poivre, loupe	[j] yeux, travail
[e] jouer, clé	[t] vite, trop	[w] jouer, oie
[ɛ] laid, mère	[k] cri, quitter	[ɥ] huit, bruit
[a] natte, la	[b] bonbon	
[ɑ] lâche, las	[d] aide, drap	
[ɔ] donner, port	[g] bague, gant	
[o] dôme, eau	[f] photo, enfant	
[u] genou, rouler	[s] sel, descendre	
[y] nu, plutôt	[ʃ] chat, manche	
[ø] peu, meute	[v] voler, fauve	
[œ] peur, fleur	[z] zéro, maison	
[ə] regard, ce	[ʒ] je, tige	
[ɛ̃] matin, feinte	[l] soleil, lumière	
[ɑ̃] dans, moment	[r] route, avenir	
[ɔ̃] pompe, long	[m] maison, femme	
[œ̃] parfum, un	[n] nœud, tonnerre	
	[ɲ] vigne, campagne	
	['] haricot (pas de liaison)	
	[ŋ] (emprunts à l'anglais) camping	

ABRÉVIATIONS ET CODES UTILISÉS DANS L'OUVRAGE

*	=	L'ASTÉRISQUE PRÉCÈDE UNE FORME OU UNE EXPRESSION FAUTIVE
[ ]	=	LES CROCHETS ENCADRENT LES TRANSCRIPTIONS PHONÉTIQUES
CDV	=	COMPLÉMENT DIRECT DU VERBE
CIV	=	COMPLÉMENT INDIRECT DU VERBE
R. O.	=	RECTIFICATIONS ORTHOGRAPHIQUES (1990)

LA SECTION **POUR EN SAVOIR PLUS** RENVOIE AUX OUVRAGES SUIVANTS :

VILLERS, MARIE-ÉVA DE. *MULTIDICTIONNAIRE DE LA LANGUE FRANÇAISE*, CINQUIÈME ÉDITION, MONTRÉAL, QUÉBEC AMÉRIQUE, 2009, 1707 PAGES.

VILLERS, MARIE-ÉVA DE. *LA NOUVELLE GRAMMAIRE EN TABLEAUX*, CINQUIÈME ÉDITION, MONTRÉAL, QUÉBEC AMÉRIQUE, 2009, 324 PAGES.

Faire l'accord des adjectifs.

1. Elle court les soldes alléchant....... de la saison.

2. Il a l'art de trouver les échappatoires les plus étonnant.......

3. Des astérisques doré....... soulignent les mots à retenir.

4. Depuis son départ, les après-midi sont plutôt ennuyant.......

5. L'auteur a publié des mémoires très croustillant.......

6. Des pétales desséché....... tombent par terre.

7. L'atmosphère lourd....... n'arrange pas les choses entre eux.

8. Ajouter deux onces net....... de cognac, pas plus, au cocktail.

9. De pesant....... haltères lui ont écrasé le pied.

10. De nombreu....... anicroches ont gâché l'excursion.

RAPPEL

L'adjectif s'accorde en genre (masculin ou féminin) et en nombre (singulier ou pluriel) avec le nom qu'il accompagne, c'est-à-dire qu'il complète ou dont il est l'attribut. Pour faire les bons accords, il importe donc de connaître le genre et le nombre du nom que l'adjectif accompagne.

POUR EN SAVOIR PLUS, CONSULTER LE TABLEAU ▸ **ADJECTIF** AU *MULTIDICTIONNAIRE* OU DANS *LA NOUVELLE GRAMMAIRE EN TABLEAUX.*

9

RAPPEL

Le préfixe est un élément qui se place avant un radical pour former un nouveau mot. La connaissance des préfixes, latins et grecs notamment, favorise la compréhension immédiate du sens d'un mot.

« D'aucuns ont voulu voir (par plaisanterie à l'origine) dans le mot *bikini**** l'élément *bi- (bis-)* signifiant « deux » ou « deux fois », allusion aux deux pièces formant le maillot de bain. D'où le mot *monokini*, créé à la même époque pour désigner cette fois un maillot d'une seule pièce, c'est-à-dire sans soutien-gorge. »

Histoires de mots solites et insolites,
Gaétan St-Pierre,
Septentrion.

*Rappelons que le nom *bikini* est une marque déposée, créé à partir de *Bikini*, nom désignant l'atoll du Pacifique où eut lieu, en 1946, un essai de la bombe atomique.

EXERCICE 2

Répondre aux questions suivantes.

1. Le préfixe *amphi-*, qui signifie « en double », est d'origine latine.

   VRAI .... FAUX ....

2. Dans le mot *codirecteur*, le préfixe *co-* signifie « avec ».

   VRAI .... FAUX ....

3. Le préfixe d'origine latine *oct-* signifie « huit ».

   VRAI .... FAUX ....

4. Le préfixe latin *acer-* signifie « érable ». VRAI .... FAUX ....

5. Le préfixe latin *api-* signifie « pomme ». VRAI .... FAUX ....

6. Le préfixe *cata-* (« en bas »), comme dans le mot *catacombe*, est d'origine latine. VRAI .... FAUX ....

7. Le préfixe *orth-* (« correct »), comme dans le mot *orthographe*, est d'origine grecque. VRAI .... FAUX ....

8. Le préfixe latin *viti-* signifie « vin ». VRAI .... FAUX ....

9. Le préfixe *sérici-* sert à la formation du mot *sériciculture*.

   Que signifie ce mot ? RÉPONSE : ....

   ....

10. Le préfixe *omni-* sert à la formation du mot *omnivore*.

    Que signifie ce mot ? RÉPONSE : ....

    ....

POUR EN SAVOIR PLUS, CONSULTER LE TABLEAU ▸ **PRÉFIXE** AU *MULTIDICTIONNAIRE* OU DANS *LA NOUVELLE GRAMMAIRE EN TABLEAUX.*

Relever et corriger les erreurs d'accord, s'il y a lieu.

RAPPEL

Le verbe s'accorde avec son sujet ; le participe s'accorde avec le nom qu'il complète, avec le sujet du verbe ou avec le complément direct du verbe ; l'adjectif s'accorde (en genre et en nombre) avec le nom qu'il accompagne.

1. C'est fascinant de voir ces neurones enchevêtrées sur l'illustration. **RÉPONSE :** ....

2. J'ai lu les cent premières pages de l'ouvrage jusqu'ici.

   RÉPONSE : ....

3. L'iode a été découverte en 1811 par le chimiste Bernard Courtois, mais c'est Gay-Lussac qui lui a donné son nom en 1814. **RÉPONSE :** ....

4. Les courtes ailes du cormoran se gorgent d'eau.

   RÉPONSE : ....

5. L'obscurité était profonde, les ténèbres étaient apeurants.

   RÉPONSE : ....

6. Les enzymes puissants de cette lessive agissent mieux sur certaines taches. **RÉPONSE :** ....

7. C'est à la carotène contenue dans son alimentation qu'est due la coloration rose du flamant. **RÉPONSE :** ....

8. L'orteil a été sectionnée par la lame très affûtée.

   RÉPONSE : ....

9. Les moustiquaires sont complètement troués.

   RÉPONSE : ....

10. Les alinéas sont nombreuses dans ce texte.

    RÉPONSE : ....

« Les revoici donc, père et fille, damné et meurtrie, mais lucides. »

Frontières ou Tableaux d'Amérique, Noël Audet, Québec Amérique.

POUR EN SAVOIR PLUS, CONSULTER LES TABLEAUX ► **ADJECTIF** ► **PARTICIPE PASSÉ** ► **SUJET** AU *MULTIDICTIONNAIRE* OU DANS *LA NOUVELLE GRAMMAIRE EN TABLEAUX.*

11

On a beau dire qu'un mot s'écrit comme il se prononce, ce n'est pas toujours le cas. De même, on pourrait dire d'un mot qu'il se prononce comme il s'écrit, mais cela demande quelquefois un peu d'attention…

EXERCICE 4

Lire les phrases suivantes à voix haute, puis cocher la bonne réponse.

1. La deuxième syllabe du mot *tachycardie* se prononce « ki ».

   VRAI ………. FAUX ……….

2. La première syllabe du mot *œsophage* se prononce « é ».

   VRAI ………. FAUX ……….

3. Dans le verbe *dompter* et ses dérivés, le *p* est muet.

   VRAI ………. FAUX ……….

4. La dernière syllabe du nom *carrousel* se prononce « zel ».

   VRAI ………. FAUX ……….

5. La première syllabe de *moelle* et de ses dérivés se prononce « moé ». VRAI ………. FAUX ……….

6. Dans le nom *marc* (*de café*), le *c* ne se prononce pas.

   VRAI ………. FAUX ……….

7. Le *t* du nom *scorbut* se prononce. VRAI ………. FAUX ……….

8. Dans l'adjectif *automnal*, le *m* ne se prononce pas.

   VRAI ………. FAUX ……….

9. Dans le mot *forceps*, toutes les lettres se prononcent.

   VRAI ………. FAUX ……….

10. Le *t* de l'expression *a fortiori* se prononce « s ».

    VRAI ………. FAUX ……….

POUR EN SAVOIR PLUS, CONSULTER LES MOTS MENTIONNÉS AU *MULTIDICTIONNAIRE* OU DANS UN DICTIONNAIRE DE LANGUE.

Faire l'accord du participe passé des verbes mis entre crochets.

RAPPEL

L'accord des participes passés n'est pas un jeu de hasard, il répond à quelques règles simples et parfois un peu compliquées… comme dans l'exercice ci-contre. Pour faire les bons accords, attention au genre et au nombre des mots avec lesquels les participes s'accordent.

1. Sa tablette électronique lui est [devenir] indispensable.

   RÉPONSE : ....

2. Pauvre lui, son humeur maussade est [causer] par le manque de luminosité saisonnière ! RÉPONSE : ....

3. À côté des ingrédients est [noter] la teneur en gras et en sucre.

   RÉPONSE : ....

4. Quelques gouttes d'huile d'argan seront [ajouter] au potage.

   RÉPONSE : ....

5. Des vidéos ont été [tourner] à Resolute Bay, dans l'Arctique canadien. RÉPONSE : ....

6. La plus vieille maison de la ville de Québec, la maison Jacques, a été [bâtir] il y a plus de 330 ans. RÉPONSE : ....

7. L'en-tête de lettre est [graver]. RÉPONSE : ....

8. L'asphalte est complètement [dessécher].

   RÉPONSE : ....

9. Ces pétoncles sont [cuire] à la perfection.

   RÉPONSE : ....

10. Les astérisques et les apostrophes ont été [inverser] dans le texte. RÉPONSE : ....

POUR EN SAVOIR PLUS, CONSULTER LE TABLEAU ► **PARTICIPE PASSÉ** AU *MULTIDICTIONNAIRE* OU DANS *LA NOUVELLE GRAMMAIRE EN TABLEAUX*.

13

Un anglicisme est un mot, une expression, une construction, une orthographe ou un sens propre à la langue anglaise utilisés en français. Les anglicismes sont partout, notamment dans le domaine des arts et loisirs.

6

Entourer et corriger l'anglicisme contenu dans chacune des phrases suivantes.

1. Avant de se présenter à l'audition, Sofia a besoin de coaching pour mettre toutes les chances de son côté.

RÉPONSE : ....

2. Dans cet établissement, le cover charge est de 10 $.

RÉPONSE : ....

3. Ma voisine de 87 ans manque de temps pour s'adonner à tous les hobbies qui l'intéressent. RÉPONSE : ....

4. Les chevaux piaffent à la starting-gate, tandis que les parieurs piaffent d'impatience en attendant les résultats.

RÉPONSE : ....

5. Manuel a enregistré sa première toune hier.

RÉPONSE : ....

6. Les exhibits de la nouvelle salle du musée sont à voir sans faute.

RÉPONSE : ....

7. Le guide de l'exposition indique que la statuette date de circa 1880. RÉPONSE : ....

8. Backstage, le chanteur préparait son entrée.

RÉPONSE : ....

9. Le comédien, surmené, a eu quatre blancs de mémoire au cours de la même représentation ! RÉPONSE : ....

10. Dès qu'il a mis les pieds sur le stage, le trac a envahi Martin.

RÉPONSE : ....

POUR EN SAVOIR PLUS, CONSULTER LE TABLEAU ▶ **ANGLICISMES** AU *MULTIDICTIONNAIRE* OU DANS *LA NOUVELLE GRAMMAIRE EN TABLEAUX*.

Entourer le bon accord parmi les deux qui sont proposés entre crochets.

RAPPEL Pour trouver le sujet d'un verbe, on pose la question *qui est-ce qui ?* (pour un être vivant) ou *qu'est-ce qui ?* (pour une chose).

1. Les nouveaux participants [donnerons/donneront] le coup d'envoi.

2. C'est toi qui [coure/coures] le plus vite.

3. Il avait l'impression qu'un malheur, un grand malheur [allait/allaient] lui tomber dessus.

4. Votre nom et votre question [devra/devront] figurer sur la première ligne.

5. En général, tout le monde [aime/aiment] les compliments.

6. Elle et moi [partirons/partiront] à la première heure.

7. Bien des problèmes [reste/restent] à régler.

8. Georges ou Fred [sera/seront] élu maire.

9. Ni sa sœur ni son frère ne [participera/participeront] à la fête.

10. Tu [viendra/viendras] au cours demain ?

POUR EN SAVOIR PLUS, CONSULTER LE TABLEAU ▶ **SUJET** AU *MULTIDICTIONNAIRE* OU DANS *LA NOUVELLE GRAMMAIRE EN TABLEAUX.*

15

L'étymologie est l'origine d'un mot. En français, une grande partie des mots que nous utilisons ont été empruntés, par exemple, à l'italien, à l'arabe, au latin et au grec.

« C'est rare, mais il peut arriver que les Maigret de l'étymologie calent. Ils ignorent de quel pays ou de quelle province ont débarqué certains mots, comme *bobèche*, *frusquin* ou *moutard*. Ils ont beau les cuisiner, les menacer, les cajoler, les secouer : ils ne disent rien. Alors ils écrivent sur leur fiche d'identité "origine douteuse" ou "obscure". »

Les mots de ma vie,
Bernard Pivot,
Albin Michel.

8 Quelle est la langue d'origine (arabe, grec, italien ou latin) des mots soulignés ?

1. On a rehaussé les mesures d'<u>hygiène</u> après l'épidémie de <u>malaria</u>.

RÉPONSE : .... RÉPONSE : ....

2. Sa visite au <u>casino</u> s'est terminée en véritable <u>fiasco</u>.

RÉPONSE : .... RÉPONSE : ....

3. Sur son dernier <u>album</u>, on trouve la chanson « <u>Alléluia</u> ».

RÉPONSE : .... RÉPONSE : ....

4. Il a lancé un <u>ultimatum</u> : ne pas changer un <u>iota</u> de son texte.

RÉPONSE : .... RÉPONSE : ....

5. Le <u>ténor</u> souffre d'une inflammation du <u>larynx</u>.

RÉPONSE : .... RÉPONSE : ....

6. C'est un <u>virtuose</u> du <u>xylophone</u>.

RÉPONSE : .... RÉPONSE : ....

7. L'avocat a mis en doute l'<u>alibi</u> du <u>brigand</u>.

RÉPONSE : .... RÉPONSE : ....

8. Il paie à <u>crédit</u> ses leçons de <u>solfège</u>.

RÉPONSE : .... RÉPONSE : ....

9. Ah, se prélasser sur son <u>balcon</u> en dégustant une <u>pastèque</u> !

RÉPONSE : .... RÉPONSE : ....

10. J'ai acheté des <u>câpres</u> et des <u>radis</u> au marché.

RÉPONSE : .... RÉPONSE : ....

POUR EN SAVOIR PLUS, CONSULTER LES TABLEAUX ▶ **ARABE (EMPRUNTS À L')** ▶ **GREC (EMPRUNTS AU)** ▶ **ITALIEN (EMPRUNTS À L')** ▶ **LATIN (EMPRUNTS AU)** AU *MULTIDICTIONNAIRE* OU DANS *LA NOUVELLE GRAMMAIRE EN TABLEAUX*.

Est-ce *tous*, *tout*, *toute*, *toutes* ou *touts*?

> Le mot *tout* peut être un déterminant, un adverbe, un pronom ou un nom; on hésite parfois sur son accord.

1. C'est .... une histoire que tu me racontes là.

2. Ils sont .... tristes à l'idée du départ.

3. Malheureusement, ... ses enfants l'ont abandonné.

4. Elle aspire au bonheur, comme .... un chacun.

5. Cette question, qui semblait d'abord très difficile, s'est révélée .... autre finalement.

6. De .... temps, les diseurs de bonne aventure ont eu leur public.

7. .... généreux qu'ils soient, ils ne peuvent donner plus.

8. Les spectateurs arrivant en retard seront .... refusés.

9. N'insiste pas : je n'irai pas, un point c'est ....

10. Elle est arrivée .... en sueur.

POUR EN SAVOIR PLUS, CONSULTER LE TABLEAU ► **TOUT (ACCORD DE)** ► **RECTIFICATIONS ORTHOGRAPHIQUES**
AU *MULTIDICTIONNAIRE* OU DANS *LA NOUVELLE GRAMMAIRE EN TABLEAUX*.

17

Un barbarisme est une erreur de langage par altération de mot (*infractus au lieu de *infarctus*). Un peu d'attention… et tout rentre dans l'ordre.

« Certains ex-barbarismes ont finalement imposé leur loi, après avoir été solidement combattus. C'est ainsi que formage (venant du latin *formaticum*, "fait dans une forme") a été — c'est bien le cas de le dire — déformé en fromage, plus facile à.prononcer : cependant que les Italiens, plus logiques, ont gardé *formàggio*. »

Les Secrets de la langue française,
André Dulière,
Guérin littérature.

10 Entourer et corriger le barbarisme contenu dans chacune des phrases suivantes.

1. Ses traits étaient complètement distortionnés par la douleur.

   RÉPONSE : ....

2. « On va conquir le monde », chantent Les Inconnus.

   RÉPONSE : ....

3. Ces dépenses sont-elles déduisibles ?

   RÉPONSE : ....

4. Les infractuosités de la route qui mène au chalet sont pénibles à traverser. RÉPONSE : ....

5. Il faut revoir l'aspect pécunier du rapport.

   RÉPONSE : ....

6. Le couvert du livre est tout maculé de sauce.

   RÉPONSE : ....

7. Elle consulte une cartemancienne le jour de son anniversaire.

   RÉPONSE : ....

8. Tous les racoins de la pièce ont été fouillés.

   RÉPONSE : ....

9. Où as-tu mis le couvert du pot de miel ?

   RÉPONSE : ....

10. Nous devrons nous rendre à l'aréoport très tôt.

    RÉPONSE : ....

Faire l'accord du participe passé des verbes pronominaux mis entre crochets.

1. Elle s'est [tailler] une belle réputation par ce geste.

   RÉPONSE : ....

2. Elle s'est [imposer] par son attitude ferme.

   RÉPONSE : ....

3. Ils se sont [consacrer] pendant des heures à cet ouvrage.

   RÉPONSE : ....

4. Elles se sont [dire] heureuses. RÉPONSE : ....

5. Elle s'est [trouver] désemparée à la lecture de l'avis d'éviction.

   RÉPONSE : ....

6. Elles se sont [dire] des gentillesses.

   RÉPONSE : ....

7. La voleuse, profitant d'un moment d'inattention, s'est [enfuir]

   avec la caisse. RÉPONSE : ....

8. L'athlète s'est [imposer] une discipline impitoyable.

   RÉPONSE : ....

9. Soudain la pluie s'est [abattre] sur la scène en plein air,

   entraînant l'annulation du spectacle.

   RÉPONSE : ....

10. Elle s'est finalement [trouver] une maison.

    RÉPONSE : ....

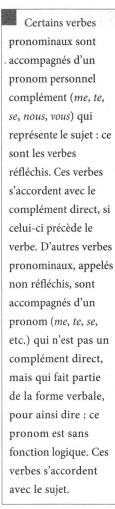

RAPPEL

Certains verbes pronominaux sont accompagnés d'un pronom personnel complément (*me*, *te*, *se*, *nous*, *vous*) qui représente le sujet : ce sont les verbes réfléchis. Ces verbes s'accordent avec le complément direct, si celui-ci précède le verbe. D'autres verbes pronominaux, appelés non réfléchis, sont accompagnés d'un pronom (*me*, *te*, *se*, etc.) qui n'est pas un complément direct, mais qui fait partie de la forme verbale, pour ainsi dire : ce pronom est sans fonction logique. Ces verbes s'accordent avec le sujet.

POUR EN SAVOIR PLUS, CONSULTER LES TABLEAUX ▶**PARTICIPE PASSÉ** ▶**PRONOMINAUX** AU
MULTIDICTIONNAIRE OU DANS *LA NOUVELLE GRAMMAIRE EN TABLEAUX.*

1 9

RAPPEL

L'abréviation est le retranchement de lettres dans un mot à des fins d'économie de place ou de temps. Les sigles (STM), les acronymes (OTAN) et les symboles (cm) sont des abréviations.

EXERCICE **12**

Répondre aux questions suivantes.

1. Un symbole est toujours composé d'au moins 2 lettres.
   VRAI .... FAUX ....

2. Les lettres qui constituent un sigle se prononcent lettre par lettre, contrairement à l'acronyme où les lettres se prononcent comme un seul mot. VRAI .... FAUX ....

3. Chaque lettre d'un sigle ou d'un acronyme doit être suivie d'un point. VRAI .... FAUX ....

4. Quand un symbole prend la marque du pluriel, on ne met pas de point final. VRAI .... FAUX ....

5. Le symbole du pourcentage (%) s'écrit, sans espacement, après l'expression numérale. VRAI .... FAUX ....

6. On appelle *figurine* une représentation graphique, par exemple celle du métro de Montréal composée d'un cercle et d'une flèche.
   VRAI .... FAUX ....

7. Les sigles sont du genre féminin. VRAI .... FAUX ....

8. Le symbole de *kiloeuro* est ....
   Le symbole de *kilomètres* est ....
   Le symbole de *hydrogène* est ....
   Le symbole de *minute* est ....
   Le symbole de *heure* est ....

9. L'abréviation de *boulevard* est ....
   L'abréviation de *rendez-vous* est ....
   L'abréviation de *docteure* est ....
   L'abréviation de *avenue* est ....
   L'abréviation de *quelqu'un* est ....

10. FMI est le sigle de ....
    OQLF est le sigle de ....
    OVNI est l'acronyme de ....
    CUP est le sigle de ....
    Modem est l'acronyme de ....
    ONG est le sigle de ....

VIVE L'UPA

POUR EN SAVOIR PLUS, CONSULTER LES TABLEAUX ► **ABRÉVIATION (RÈGLES DE L')** ► **ACRONYME** ► **SIGLE** ► **SYMBOLES** AU *MULTIDICTIONNAIRE* OU DANS *LA NOUVELLE GRAMMAIRE EN TABLEAUX*.

Faire l'accord des adjectifs de couleur donnés entre crochets.

RAPPEL

Les adjectifs de couleur simples (*brun*) ou qui dérivent d'adjectifs ou de noms de couleur (*doré*) sont variables. Les adjectifs composés (*café au lait*) et les noms simples ou composés employés comme adjectifs (*orange*) sont invariables.

1. Des rayures [citron] illuminent les murs blanchâtres.

RÉPONSE : ....

2. Ses yeux [bleu-vert] deviennent parfois [bleu turquoise].

RÉPONSE : ....

3. Elle aime les accessoires [rouge tomate].

RÉPONSE : ....

4. Ils portent tous des chemises [gris acier].

RÉPONSE : ....

5. Il a les yeux [saphir] ; on dirait deux pierres précieuses.

RÉPONSE : ....

6. Les petites maisons [pistache] des Îles-de-la-Madeleine sont

ravissantes.

RÉPONSE : ....

7. Les couleurs [pastel] ont un effet apaisant.

RÉPONSE : ....

8. Ces photos [sépia] la rendent nostalgique.

RÉPONSE : ....

9. Pour le canapé, le styliste a imposé des tons [anthracite].

RÉPONSE : ....

10. Les tons [glauque] de ces tableaux traduisent l'univers

tordu du peintre.

RÉPONSE : ....

« Au fait, savez-vous comment on appelle les gens qui ne distinguent pas les couleurs ? On dit qu'ils sont *daltoniens*, et le nom vient de M. John Dalton, qui souffrait de cette anomalie. Il ne faut pas le confondre avec Joe Dalton, qui voit rouge quand il aperçoit Lucky Luke ! »

Schlick !,
François Gravel,
Québec Amérique.

POUR EN SAVOIR PLUS, CONSULTER LE TABLEAU ▶ **COULEUR (ADJECTIFS DE)** AU *MULTIDICTIONNAIRE* OU DANS *LA NOUVELLE GRAMMAIRE EN TABLEAUX.*

2 1

Les locutions figées sont un groupe de mots toujours employés ensemble, qui a un sens global différent des sens de chacun des mots qui la composent.

«Pourquoi lave-t-on une injure alors qu'on essuie un affront?»

Alphonse Allais.

14

Remplacer le mot ou le groupe de mots soulignés par une des locutions figées proposées ici, en modifiant les accords au besoin.

▸ *à profusion* ▸ *à son corps défendant* ▸ *argument massue* ▸ *aux petits oignons* ▸ *coup d'épée dans l'eau* ▸ *couver des yeux* ▸ *date butoir* ▸ *en déshérence* ▸ *épée de Damoclès* ▸ *haut en couleur* ▸ *mettre la pédale douce* ▸ *miroir aux alouettes* ▸ *perdre contenance* ▸ *perdre les pédales* ▸ *prendre en grippe* ▸ *s'en aller à vau-l'eau* ▸ *tomber pile*

1. <u>Malgré elle</u>, Béatrice ne pouvait s'empêcher de le <u>regarder amoureusement</u>.

   RÉPONSE : .... RÉPONSE : ....

2. En entendant son <u>propos sans réplique</u>, il <u>perdit son assurance</u>.

   RÉPONSE : .... RÉPONSE : ....

3. Ce lucratif contrat <u>arrive à point</u>, c'est demain l'<u>échéance</u> du paiement.

   RÉPONSE : .... RÉPONSE : ....

4. Cet ouvrage raconte les faits <u>remarquables</u> de ce hameau maintenant <u>abandonné</u>.

   RÉPONSE : .... RÉPONSE : ....

5. Méfiez-vous des fausses promesses de cette publicité : ce n'est qu'un <u>attrape-nigaud</u>. RÉPONSE : ....

6. Malheureusement, depuis quelque temps notre relation <u>se désagrège</u> ; nous nous traitions pourtant <u>très bien</u> avant.

   RÉPONSE : .... RÉPONSE : ....

7. Tu fais mieux de <u>ralentir le rythme</u>, sinon tu risques de <u>cafouiller</u> dans tes explications.

   RÉPONSE : .... RÉPONSE : ....

8. Sans qu'on s'explique pourquoi, il <u>a développé une antipathie pour</u> les animaux de compagnie. RÉPONSE : ....

9. Ce nouvel investissement, ce n'est qu'un <u>effort inutile</u>.

   RÉPONSE : ....

10. Il boit <u>en excès</u> pour oublier cette <u>lourde menace</u> qui ne le quitte pas.

    RÉPONSE : .... RÉPONSE : ....

POUR EN SAVOIR PLUS, CONSULTER LES MOTS MENTIONNÉS AU *MULTIDICTIONNAIRE* ET LE TABLEAU ▸ **LOCUTIONS FIGÉES** AU *MULTIDICTIONNAIRE* OU DANS *LA NOUVELLE GRAMMAIRE EN TABLEAUX*.

Faire l'accord du participe passé des verbes pronominaux mis entre crochets.

RAPPEL

Certains verbes pronominaux sont accompagnés d'un pronom personnel complément (*me, te, se, nous, vous*) qui représente le sujet : ce sont les verbes réfléchis. Ces verbes s'accordent avec le complément direct, si celui-ci précède le verbe. D'autres verbes pronominaux, appelés non réfléchis, sont accompagnés d'un pronom (*me, te, se,* etc.) qui n'est pas un complément direct, mais qui fait partie de la forme verbale, pour ainsi dire : ce pronom est sans fonction logique. Ces verbes s'accordent avec le sujet.

1. Les parents ne s'étaient pas [douter] de la venue de leur fille.

   RÉPONSE : ....

2. Elle s'est [acheter] deux tablettes électroniques.

   RÉPONSE : ....

3. Les riverains se sont [attendre] au pire, mais finalement sans raison. **RÉPONSE :** ....

4. Les chemises qu'il s'est [acheter] sont trop grandes.

   RÉPONSE : ....

5. Elles se sont [saisir] de leurs valises prestement.

   RÉPONSE : ....

6. Les croisiéristes se sont [plaire] dès le premier jour du voyage.

   RÉPONSE : ....

7. Les droits que le président s'est [arroger] frisent l'indécence.

   RÉPONSE : ....

8. Les accusés se sont [abstenir] du moindre commentaire.

   RÉPONSE : ....

9. Les deux sœurs ont signé l'accord après s'être [sourire].

   RÉPONSE : ....

10. Ces nouveaux logiciels se sont [écouler] en un temps record.

    RÉPONSE : ....

POUR EN SAVOIR PLUS, CONSULTER LE TABLEAU ▶**PRONOMINAUX** AU *MULTIDICTIONNAIRE* OU DANS *LA NOUVELLE GRAMMAIRE EN TABLEAUX*.

2 3

Les antonymes, ou contraires, sont des mots de même catégorie qui ont une signification opposée.

16

Remplacer le mot souligné par son contraire proposé dans la liste suivante.

▶ *communicatif* ▶ *corruption* ▶ *franchise*
▶ *gaucherie* ▶ *inculture* ▶ *insipide* ▶ *lâcheté*
▶ *muflerie* ▶ *refus* ▶ *vigueur*

1. L'assistance s'interroge sur l'<u>érudition</u> du conférencier.

RÉPONSE : ....

2. Cette vedette de la chanson est d'une <u>galanterie</u> stupéfiante.

RÉPONSE : ....

3. L'<u>adresse</u> de ce cascadeur est bien connue.

RÉPONSE : ....

4. Il s'attend à un <u>acquiescement</u> sous peu.

RÉPONSE : ....

5. On raconte qu'il a agi par <u>héroïsme</u>.

RÉPONSE : ....

6. L'<u>intégrité</u> des avocats a été soulignée.

RÉPONSE : ....

7. Ceux qui le connaissent mal le trouvent <u>taciturne</u>.

RÉPONSE : ....

8. Le restaurateur nous a servi un mets <u>savoureux</u>.

RÉPONSE : ....

9. À son retour de vacances, il a constaté l'<u>étiolement</u> de son jardin.

RÉPONSE : ....

10. Chez ce couple, c'est la <u>duplicité</u> qui règne depuis le début.

RÉPONSE : ....

POUR EN SAVOIR PLUS, CONSULTER LES MOTS MENTIONNÉS AU *MULTIDICTIONNAIRE* ET LE TABLEAU
▶ **ANTONYMES** AU *MULTIDICTIONNAIRE* OU DANS *LA NOUVELLE GRAMMAIRE EN TABLEAUX*.

Faire l'accord du participe passé des verbes mis entre crochets.

RAPPEL

L'accord des participes passés n'est pas un jeu de hasard, il répond à quelques règles simples et parfois un peu compliquées… comme dans l'exercice ci-contre.

1. Des cerises, j'en ai trop [manger]. RÉPONSE : ....

2. Elle a [faire] livrer une pizza au bureau.

RÉPONSE : ....

3. Son attitude lui a [valoir] de francs succès.

RÉPONSE : ....

4. Ces vidéos, les avez-vous [regarder] ?

RÉPONSE : ....

5. Combien de kilomètres as-tu [courir] aujourd'hui ?

RÉPONSE : ....

6. [épuiser], elles le sont complètement !

RÉPONSE : ....

7. C'est à 1000 $ qu'on a [évaluer] les dégâts.

RÉPONSE : ....

8. Beaucoup d'ennuis ont été [éviter] grâce à ce traitement.

RÉPONSE : ....

9. C'était très émouvant : aux rires ont [succéder] les larmes.

RÉPONSE : ....

10. Le secret qu'elle m'a [confier] est troublant.

RÉPONSE : ....

POUR EN SAVOIR PLUS, CONSULTER LE TABLEAU ▸ **PARTICIPE PASSÉ** AU *MULTIDICTIONNAIRE* OU DANS *LA NOUVELLE GRAMMAIRE EN TABLEAUX*.

2 5

RAPPEL

Un anglicisme est un mot, une expression, une construction, une orthographe ou un sens propre à la langue anglaise utilisés en français. Les anglicismes sont partout, notamment dans le domaine des arts et loisirs.

EXERCICE

18 Entourer et corriger l'anglicisme contenu dans chacune des phrases suivantes.

1. Les Américains ont tourné un remake du film *Un éléphant, ça trompe énormément*.

   RÉPONSE : ....

2. Cette artiste est très versatile : elle danse, chante, et joue du piano. RÉPONSE : ....

3. J'ai vu les previews du dernier film de Falardeau.

   RÉPONSE : ....

4. L'humoriste a lancé des craques contre son concurrent pendant l'interview. RÉPONSE : ....

5. En proie au mal de gorge, la diva cherche un médicament miracle pour contrôler la douleur.

   RÉPONSE : ....

6. Tous les mannequins convoqués feront partie de la parade de mode. RÉPONSE : ....

7. Le duettiste prépare-t-il un one-man-show ?

   RÉPONSE : ....

8. L'admission est réduite l'après-midi dans la plupart des cinémas.

   RÉPONSE : ....

9. C'est sa sœur qui a composé la musique thème du populaire téléroman. RÉPONSE : ....

10. Ahmed pratique le violon au moins une heure par semaine.

    RÉPONSE : ....

POUR EN SAVOIR PLUS, CONSULTER LE TABLEAU ▸ **ANGLICISMES** AU *MULTIDICTIONNAIRE* OU DANS *LA NOUVELLE GRAMMAIRE EN TABLEAUX*.

Rectifier l'orthographe des mots *demi, mi* et *semi* et ajouter les traits d'union au besoin.

RAPPEL

Lorsqu'il suit le mot, *demi* est un adjectif et s'accorde en genre seulement. Placé devant le mot auquel il se rapporte, *demi*, adverbe, s'y joint dans certains cas par un trait d'union et reste invariable.

1. Le train entrera en gare à 2 heures et demi......., il a une demi....... heure de retard.

2. Elle est à demi....... surprise d'apprendre l'existence de sa demi....... sœur.

3. L'ingénieur teste des semi....... produits.

4. Acheter un appartement de trois pièces et demi.......

5. Le sinistré avait de l'eau jusqu'à mi....... jambe.

6. Il sera bientôt minuit et demi.......

7. Les réserves de carburant sont à demi....... vides.

8. Une demi....... douzaine d'œufs et une demi....... bouteille de vin.

9. Nous nous comprenons à demi....... mot.

10. L'avocat ne se contentera pas de semi....... vérités.

POUR EN SAVOIR PLUS, CONSULTER L'ARTICLE ▶ **DEMI** AU *MULTIDICTIONNAIRE*.

2 7

RAPPEL

Le pronom relatif représente un nom ou un pronom et introduit une phrase relative. Parmi les pronoms relatifs, *que* et *dont* sont souvent employés fautivement l'un pour l'autre.

« Veux-tu
toute ta vie
offenser la grammaire ? »

Les Femmes savantes,
Molière.

EXERCICE

20 **Dans les phrases suivantes, choisir le pronom relatif qui convient.**

1. Voici l'équipe [dont/que] j'ai embauchée.

2. C'est le sujet [dont/que] je veux vous parler.

3. Voici ce [dont/que] j'ai besoin pour faire cette recette.

4. C'est la maison [dont/que] mon père m'a laissée en héritage.

5. C'est de lui [dont/que] je te parle.

6. C'est ce [dont/que] je me souviens.

7. Je n'aime pas la façon [dont/que] tu lui réponds.

8. Le film [dont/que] je me rappelle avoir vu avec plaisir n'est plus à l'affiche.

9. Je vous remercie du prêt [dont/que] vous m'avez consenti.

10. C'est de cet enfant [dont/que] je suis le plus fier.

POUR EN SAVOIR PLUS, CONSULTER LE TABLEAU ▶ **PRONOM** AU *MULTIDICTIONNAIRE* OU DANS *LA NOUVELLE GRAMMAIRE EN TABLEAUX*.

Est-ce *ce*, *cet*, *cette* ou *ces*?

1. Il est bien appétissant .... raisin, de même que .... cantaloup.

2. J'habite .... appartement depuis hier ; je parle de .... vieil appartement que tu as déjà visité.

3. L'élève a compris le problème grâce à .... exemple.

4. Pierre est .... enfant dont je t'ai parlé hier.

5. .... dictionnaire et .... encyclopédie sont vieillis ; en fait, ... ouvrages sont complètement démodés.

6. Attention, il risque de t'assommer avec .... haltère !

7. Ne pas confondre .... termite et .... fourmi.

8. .... hêtre est en bien mauvais état et .... chrysanthème est tout desséché.

9. .... granule homéopathique soulagera la douleur.

10. .... enfant deviendra sans doute une patineuse artistique.

RAPPEL

Le déterminant démonstratif *ce* s'emploie devant un nom ou un adjectif masculin singulier ; *cet* s'emploie devant un nom ou un adjectif commençant par une voyelle (*cet arbre*) ou un *h* muet (*cet homme*) ; *cette* s'emploie devant un nom ou un adjectif féminin (*cette femme*) ; *ces* s'emploie devant un nom ou un adjectif pluriel des deux genres.

RAPPEL

Bien ponctuer un texte, c'est le rendre clair, intelligible. Les signes de ponctuation les plus courants sont : la virgule (,), le point (.), le deux-points (:), le point-virgule (;), le point d'exclamation (*!*), le point d'interrogation (*?*), les points de suspension (…), les guillemets (« »), les parenthèses (()), les crochets (*[]*).

« Longtemps les guillemets seront, comme le dit Furetière, "des petites virgules doubles" et les guillemets anglais (" ") en ont gardé la forme. […] la forme en chevrons qui nous est aujourd'hui familière (« ») ne se généralisant qu'au XXe siècle. »

L'art de la ponctuation, Olivier Houdart, Sylvie Prioul, Seuil.

EXERCICE

22 **Répondre aux questions suivantes.**

1. Les guillemets sont de petits chevrons doubles (« ») qui encadrent, sans espacement, une citation, un dialogue ou un mot mis en relief. VRAI .... FAUX ....

2. Une apostrophe est un petit signe en forme d'étoile qui sert à indiquer un appel de note ou un renvoi dans certains ouvrages techniques. VRAI .... FAUX ....

3. À l'intérieur d'une citation déjà entre guillemets, on remet les guillemets en chevrons pour encadrer un mot que l'auteur désire isoler. VRAI .... FAUX ....

4. Les parenthèses sont le double signe graphique aux lignes verticales terminées à angles droits. VRAI .... FAUX ....

5. On appelle tiret ou trait d'union le petit signe horizontal qui sert à lier les parties d'un mot composé. VRAI .... FAUX ....

6. Rectifier, au besoin, la ponctuation de la phrase suivante : « Finalement », avoua-t-il, « j'ai décidé de laisser tomber l'affaire. »

7. Dans une énumération, l'abréviation *etc.* n'est jamais suivie de points de suspension. VRAI .... FAUX ....

8. « Georges, téléphone-moi ce soir sans faute. » Dans cette phrase, la virgule est facultative. VRAI .... FAUX ....

9. « Mon cousin, Georges, m'a téléphoné hier. » Dans cette phrase, les virgules sont facultatives. VRAI .... FAUX ....

10. « Je me demande s'il fera beau demain ? » Rectifier, au besoin, la ponctuation de la phrase précédente.

POUR EN SAVOIR PLUS, CONSULTER LE TABLEAU ▶ **PONCTUATION** AU *MULTIDICTIONNAIRE* OU DANS *LA NOUVELLE GRAMMAIRE EN TABLEAUX*.

30

23 **Corriger les erreurs d'accord du verbe, au besoin.**

R A P P E L

Pour trouver le sujet d'un verbe, on pose la question *qui est-ce qui?* (pour un être vivant), *qu'est-ce qui?* (pour une chose). Attention, dans une question, l'ordre des mots est inversé.

1. Est-ce toi qui organisera la réunion ?

   RÉPONSE : ....

2. Il existe des moyens que peuvent utiliser le tribunal pour casser cette décision. RÉPONSE : ....

3. Ni son frère ni sa sœur ne souligneront son anniversaire.

   RÉPONSE : ....

4. Moins de deux personnes ont signé la pétition.

   RÉPONSE : ....

5. La moitié des diplômés de ce programme cherche encore un emploi. RÉPONSE : ....

6. Beaucoup de monde se présentent en retard à la clinique.

   RÉPONSE : ....

7. Des contraventions ont été données, comme l'exige le règlement et la loi. RÉPONSE : ....

8. Claude et moi sont responsables de ce retard.

   RÉPONSE : ....

9. Le succès ou l'échec de son film dépend de nombreux critères.

   RÉPONSE : ....

10. Plus d'un stylo sont défectueux.

    RÉPONSE : ....

POUR EN SAVOIR PLUS, CONSULTER LE TABLEAU ▸ **SUJET** AU *MULTIDICTIONNAIRE* OU DANS *LA NOUVELLE GRAMMAIRE EN TABLEAUX.*

31

Un anglicisme est un mot, une expression, une construction, une orthographe ou un sens propre à la langue anglaise utilisés en français. Les anglicismes sont partout, notamment dans le domaine de l'habillement.

24 **Entourer et corriger l'anglicisme contenu dans chacune des phrases suivantes.**

1. Le nouveau look de Sylvia la rajeunit de dix ans.

RÉPONSE : ....

2. Ma ceinture est un peu lousse depuis que j'ai maigri.

RÉPONSE : ....

3. Les bretelles de sa brassière glissent sur ses bras.

RÉPONSE : ....

4. Je préfère la robe à l'imprimé paisley à celle qui a des carreaux.

RÉPONSE : ....

5. Elle a acheté un bas-culotte bleu pour faire sa gymnastique.

RÉPONSE : ....

6. Son imperméable bon marché n'est pas vraiment waterproof.

RÉPONSE : ....

7. Dans sa valise, Georges a ajouté un sweat-shirt.

RÉPONSE : ....

8. Ce chandail est trop petit, est-ce que vous l'avez dans le large ?

RÉPONSE : ....

9. Charlot préfère porter une boucle au lieu d'une cravate.

RÉPONSE : ....

10. C'est une soirée d'apparat, on exige le port du tuxedo.

RÉPONSE : ....

POUR EN SAVOIR PLUS, CONSULTER LES MOTS MENTIONNÉS AU *MULTIDICTIONNAIRE* ET LE TABLEAU
▶ **ANGLICISMES** AU *MULTIDICTIONNAIRE* OU DANS *LA NOUVELLE GRAMMAIRE EN TABLEAUX*.

Faire l'accord du participe passé des verbes mis entre crochets.

RAPPEL

L'accord des participes passés n'est pas un jeu de hasard, il répond à quelques règles simples et parfois un peu compliquées... comme dans l'exercice ci-contre. Attention aux finales des participes, qui empruntent parfois des formes différentes au masculin et au féminin.

1. L'histoire que l'écrivain a [raconter] provient d'un fait vécu.

   RÉPONSE : ....

2. Ce sont les documents que vous avez [consulter] hier.

   RÉPONSE : ....

3. D'après les bruits qui ont [courir], le contrat ne sera pas reconduit. RÉPONSE : ....

4. Cette fillette a [disparaître] depuis 24 heures.

   RÉPONSE : ....

5. Seuls ceux qui ont [combattre] selon les règles ont été récompensés. RÉPONSE : ....

6. La neige a [cesser], allons déblayer l'entrée !

   RÉPONSE : ....

7. Sa nervosité l'ayant [trahir], l'animateur a mis fin à la rencontre.

   RÉPONSE : ....

8. Lesquelles de ces pilules avez-vous [avaler] ?

   RÉPONSE : ....

9. Combien avez-vous [perdre] de points cette année ?

   RÉPONSE : ....

10. Il est nostalgique des six mois qu'il a [vivre] en Polynésie.

    RÉPONSE : ....

POUR EN SAVOIR PLUS, CONSULTER LE TABLEAU ▶ **PARTICIPE PASSÉ** AU *MULTIDICTIONNAIRE* OU DANS *LA NOUVELLE GRAMMAIRE EN TABLEAUX*.

Les synonymes sont des mots qui ont la même signification ou des sens très voisins, mais qui diffèrent par des nuances particulières.

Remplacer les mots soulignés par un synonyme tiré de la liste qui suit (en rectifiant les accords au besoin).

▸ *amulette* ▸ *apathie* ▸ *bavardage* ▸ *bévue*
▸ *chaparder* ▸ *clou* ▸ *cul-de-sac* ▸ *désagréable*
▸ *duper* ▸ *embêter* ▸ *embrouillamini* ▸ *escamoter*
▸ *gargouillement* ▸ *imaginaire* ▸ *insuccès*
▸ *sidérer* ▸ *zénith*

1. Ce que tu m'as appris hier m'a abasourdi.

RÉPONSE : ....

2. Elle s'est moquée du furoncle qu'il a sur le bout du nez, quelle

maladresse ! RÉPONSE : ....

3. C'est un pickpocket qui a piqué son porte-bonheur en forme de

patte d'ours. RÉPONSE : ....

4. Elle est à l'apogée de sa gloire, elle qui n'avait connu jusque-là

que des fiascos. RÉPONSE : ....

5. Entends-tu les borborygmes du bébé ?

RÉPONSE : ....

6. Il habitait un joli appartement, dans une impasse.

RÉPONSE : ....

7. C'est un tel imbroglio que je préfère éluder le sujet !

RÉPONSE : ....

8. Ce malencontreux incident est le résultat de sa mollesse

habituelle. RÉPONSE : ....

9. Il s'est laissé embobiner par le récit fictif de cet auteur.

RÉPONSE : ....

10. Ses babillages importunaient les autres invités.

RÉPONSE : ....

POUR EN SAVOIR PLUS, CONSULTER LES MOTS MENTIONNÉS AU *MULTIDICTIONNAIRE* ET LE TABLEAU ▸ **SYNONYMES** AU *MULTIDICTIONNAIRE* OU DANS *LA NOUVELLE GRAMMAIRE EN TABLEAUX.*

Faire l'accord des mots entre crochets.

RAPPEL

Le verbe s'accorde avec son sujet ; le participe s'accorde avec le nom qu'il complète, avec le sujet du verbe ou avec le complément direct du verbe ; l'adjectif s'accorde (en genre et en nombre) avec le nom qu'il accompagne. Pour faire les bons accords, il faut tenir compte du genre et du nombre des mots.

1. Des arpèges [harmonieux] semblaient sortir du clavier.

RÉPONSE : ....

2. Ce sont quatre octaves que [couvrir] la voix de Céline.

RÉPONSE : ....

3. Elles sont très éprouvantes pour les oreilles, ces gammes ascendantes que [faire] l'élève pendant des heures.

RÉPONSE : ....

4. Les gammes de l'élève ont enfin [cesser].

RÉPONSE : ....

5. Les trilles de la soprano étaient [assourdir] par les accords du piano.

RÉPONSE : ....

6. Êtes-vous de ces personnes infatigables qui [pouvoir] danser pendant des heures ?

RÉPONSE : ....

7. Josette est trompette dans deux quintettes [situer] à Laval.

RÉPONSE : ....

8. La violoniste a-t-elle [saluer] le chef d'orchestre ?

RÉPONSE : ....

9. Dolores fait [claquer] ses castagnettes et Joseph [jouer] de la cuillère : c'est le multiculturalisme en musique !

RÉPONSE : ....

10. Il chante de façon saccadée, comme le [faire] les rappeurs.

RÉPONSE : ....

POUR EN SAVOIR PLUS, CONSULTER LES TABLEAUX ▶**ADJECTIF** ▶**PARTICIPE PASSÉ** ▶**SUJET** AU *MULTIDICTIONNAIRE* OU DANS *LA NOUVELLE GRAMMAIRE EN TABLEAUX.*

3 5

La typographie est un ensemble de règles touchant les majuscules, la ponctuation, la coupure des mots, la mise en relief, etc., d'un imprimé ou d'un document électronique. En somme, c'est une façon d'habiller un texte pour le rendre clair et agréable à lire.

Monsieur
Pierre Richard ?

28

Répondre aux questions suivantes.

1. Dans une lettre d'affaires, il est d'usage de faire précéder le corps du texte d'une courte formule (Monsieur, Madame, etc.). Cette formule se nomme *salutation*.

VRAI .... FAUX ....

2. Sur une enveloppe, où figurent le nom et l'adresse du destinataire, chaque ligne se termine par une virgule.

VRAI .... FAUX ....

3. Sur une enveloppe, on fait précéder le nom du destinataire de *Monsieur* ou *Madame* (selon le cas), écrit au long.

VRAI .... FAUX ....

4. Dans une adresse, le point cardinal (abrégé ou non) s'écrit avec une majuscule à la suite du nom spécifique de la voie publique.

VRAI .... FAUX ....

5. Dans une raison sociale, les indications du statut juridique (*limitée, incorporée, enregistrée*) se notent en abrégé, en minuscules (*ltée, inc., enr.*). VRAI .... FAUX ....

6. Les noms et les adjectifs de peuples prennent une majuscule initiale. VRAI .... FAUX ....

7. Les noms de jours, de mois et de saisons ne prennent pas la majuscule. VRAI .... FAUX ....

8. Dans un texte, si cela est nécessaire, on se sert du trait d'union pour diviser un mot en fin de ligne, mais cette règle ne s'applique pas aux symboles. VRAI .... FAUX ....

9. Dans un texte, les titres de livres et les noms de périodiques se notent en italique.

VRAI .... FAUX ....

10. Dans un courriel, que signifient les lettres CCI ?

RÉPONSE : ....

POUR EN SAVOIR PLUS, CONSULTER LES TABLEAUX ▶ COURRIEL ▶ DIVISION DES MOTS ▶ ENVELOPPE ▶ ITALIQUE ▶ LETTRE ▶ RAISON SOCIALE AU *MULTIDICTIONNAIRE* OU DANS *LA NOUVELLE GRAMMAIRE EN TABLEAUX*.

Faire l'accord des adjectifs mis entre crochets.

RAPPEL

L'adjectif s'accorde en genre (masculin ou féminin) et en nombre (singulier ou pluriel) avec le nom qu'il accompagne, c'est-à-dire qu'il complète ou dont il est l'attribut. Pour faire les bons accords, il importe de connaître le genre et le nombre du nom qui lui donne l'accord.

1. Ses [quatre] frères l'ont accompagné à la remise des prix [annuel].

   RÉPONSE : .... RÉPONSE : ....

2. Deux sauces [aigre-doux] rehaussaient le mets [apprêté].

   RÉPONSE : .... RÉPONSE : ....

3. On a trouvé les deux évadées [ivre-mort] à la sortie du bar.

   RÉPONSE : ....

4. Les moines se contentent habituellement de repas [frugal].

   RÉPONSE : ....

5. Nous avons deux choix [possible] : soit nous visiterons le village et la campagne [environnant], soit nous irons au concert.

   RÉPONSE : .... RÉPONSE : ....

6. Les [mille] anecdotes [hilarant] du conteur ont bien fait rire l'assistance.

   RÉPONSE : .... RÉPONSE : ....

7. Ce comédien est des plus [brillant] ; c'est de notoriété [public].

   RÉPONSE : .... RÉPONSE : ....

8. Nous avons consulté une agence de voyages [compétent] pour éviter le plus de désagréments [possible].

   RÉPONSE : .... RÉPONSE : ....

9. Elle était [nu-pieds] et lui portait une paire de chaussettes [noir].

   RÉPONSE : .... RÉPONSE : ....

10. Jouer ce concerto est des plus [facile].

    RÉPONSE : ....

POUR EN SAVOIR PLUS, CONSULTER LE TABLEAU ▶ ADJECTIF AU *MULTIDICTIONNAIRE* OU DANS *LA NOUVELLE GRAMMAIRE EN TABLEAUX*.

3 7

Le pronom est un mot qui représente un nom, un pronom ou un groupe nominal; un adjectif ou un groupe adjectival; une phrase. Le pronom personnel indique de quelle personne (1re, 2e ou 3e) est l'être ou l'objet dont il est question.

EXERCICE 30

Remplacer les groupes de mots soulignés par le pronom personnel, sujet ou complément, qui convient parmi la liste suivante. Attention, dans certains cas, l'ajout d'un trait d'union est nécessaire.

▸ *en* ▸ *ils* ▸ *la* ▸ *le* ▸ *leur* ▸ *lui* ▸ *y*

1. Voudrais-tu me prêter <u>cette veste</u>?

Voudrais-tu me .... prêter?

2. <u>Paul et Marie</u> sont venus hier.

.... sont venus hier.

3. J'ai fait une promesse <u>à l'enfant</u>.

Je .... ai fait une promesse.

4. L'agent a remis le formulaire <u>aux autorités</u>.

L'agent .... a remis le formulaire.

5. Prends bien soin <u>de lui</u>.

Prends .... bien soin.

6. C'est <u>à Pierre et à Anne</u> que j'ai parlé d'abord.

C'est à .... que j'ai parlé d'abord.

7. As-tu téléphoné <u>à Simone</u>?

.... as-tu téléphoné?

8. Les employés ont dit leur insatisfaction <u>au syndicat</u>.

Les employés .... ont dit leur insatisfaction.

9. Je m'habitue <u>à sa présence</u>.

Je m' .... habitue.

10. Parle <u>à mes amis</u> dès ce soir, je t'en prie.

Parle .... dès ce soir, je t'en prie.

POUR EN SAVOIR PLUS, CONSULTER LE TABLEAU ▸**PRONOM** AU *MULTIDICTIONNAIRE* OU DANS *LA NOUVELLE GRAMMAIRE EN TABLEAUX.*

Est-ce _tous, tout, toute, toutes_ ou _touts_ ?

RAPPEL

Le mot _tout_ peut être un déterminant, un adverbe, un pronom ou un nom ; on hésite parfois sur son accord.

1. Les .... derniers jours des vacances rendent parfois nostalgiques.

2. La fillette était .... en larmes, au grand désarroi de la gardienne.

3. .... autour de la maison, le jardin était fleuri.

4. La diva essayait de retenir ses larmes .... en chantant.

5. Ils s'en donnent .... à cœur joie.

6. Le gamin était .... yeux .... oreilles : il n'en revenait pas de .... ces cadeaux !

7. Ces lots forment deux .... intéressants à gagner.

8. L'heureux gagnant répétait sa chance à .... venant.

9. Elles sont .... ravies et .... hébétées de cet honneur.

10. Sur le formulaire, on demande d'écrire les nombres en .... lettres.

POUR EN SAVOIR PLUS, CONSULTER LE TABLEAU ▶ **TOUT (ACCORD DE)** AU _MULTIDICTIONNAIRE_ OU DANS _LA NOUVELLE GRAMMAIRE EN TABLEAUX._

3 9

Les proverbes, les paroles célèbres et les locutions figées sont souvent employés dans les conversations, mais ils sont souvent mal rapportés, ce qui risque même parfois d'en fausser le sens.

« On a beau raconter que pauvreté n'est pas vice, on n'a pas envie d'être vertueux tous les jours. »

Attention ma vie,
Henri Salvador.

32

Dans les proverbes suivants, corriger au besoin les mots mal employés ou les constructions fautives.

1. Ventre affamé n'entend rien.

   RÉPONSE : ....

2. Le temps ne fait pas le bonheur.

   RÉPONSE : ....

3. Il n'y a pas de fumée sans paille.

   RÉPONSE : ....

4. Fais ce que dois, advienne que devra.

   RÉPONSE : ....

5. Mieux vaut tard que demain.

   RÉPONSE : ....

6. Qui paie ses dettes s'appauvrit.

   RÉPONSE : ....

7. Petit à petit l'oiseau fait son abri.

   RÉPONSE : ....

8. À toute erreur miséricorde.

   RÉPONSE : ....

9. La vengeance est un argument qui se mange froid.

   RÉPONSE : ....

10. Chassez le naturel et il revient bientôt.

    RÉPONSE : ....

Entourer le mot entre crochets qui est bien orthographié, et dire s'il s'agit d'un participe présent ou d'un adjectif participe.

RAPPEL Le participe présent et l'adjectif participe se terminent tous les deux par le son «an» (*fatiguant* et *fatigant*). Parfois, le participe présent et l'adjectif participe ont la même orthographe, mais, alors que le participe est invariable, l'adjectif varie en genre et en nombre.

1. Le personnel [navigant/naviguant] a été réuni sur le pont.

   RÉPONSE : ....

2. C'est en [vacant/vaquant] à ses occupations qu'il a trouvé ce terrain [vacant/vaquant]. RÉPONSE : ....

3. Les rendements [équivalant/équivalants] à ceux de l'an dernier, nous sommes satisfaits. RÉPONSE : ....

4. Les personnes [adhérant/adhérantes] cette semaine recevront une prime. RÉPONSE : ....

5. Voici les documents [afférant/afférents] à cette affaire.

   RÉPONSE : ....

6. En [provocant/provoquant] son auditoire, l'humoriste s'est attiré une riposte [provocante, provoquante] de la part de journalistes.

   RÉPONSE : ....

7. Un organisme humanitaire s'occupera des bébés [naissant/naissants] dans ce camp. RÉPONSE : ....

8. Dans le roman, une femme [intrigante/intriguante] fait son apparition, [intrigant/intriguant] le lecteur.

   RÉPONSE : ....

9. Les avis [divergeant/divergeants] sur cette nouvelle tablette électronique, son achat est reporté.

   RÉPONSE : ....

10. Les vacanciers, [prévoyant/prévoyants] du mauvais temps, ont changé de destination. RÉPONSE : ....

POUR EN SAVOIR PLUS, CONSULTER LE TABLEAU ▸ **PARTICIPE PRESENT** AU *MULTIDICTIONNAIRE* OU DANS *LA NOUVELLE GRAMMAIRE EN TABLEAUX*.

41

Les paroles célèbres sont souvent citées dans les conversations, mais on oublie parfois le nom des auteurs. Un petit rafraîchissement peut être utile pour rendre à César ce qui est à César.

34 Nommer l'auteur des paroles suivantes.

1. La critique est aisée et l'art est difficile.

   RÉPONSE : ....

2. Vingt fois sur le métier remettez votre ouvrage.

   RÉPONSE : ....

3. L'enfer, c'est les autres.

   RÉPONSE : ....

4. C'est avec les beaux sentiments que l'on fait de la mauvaise littérature.

   RÉPONSE : ....

5. Être ou ne pas être, telle est la question.

   RÉPONSE : ....

6. L'homme est un roseau pensant.

   RÉPONSE : ....

7. Le rire est le propre de l'homme.

   RÉPONSE : ....

8. Ce que l'on conçoit bien s'énonce clairement, et les mots pour le dire arrivent aisément.

   RÉPONSE : ....

9. De la musique avant toute chose.

   RÉPONSE : ....

10. On ne naît pas femme : on le devient.

    RÉPONSE : ....

Corriger l'erreur d'accord du verbe que contient chacune des phrases suivantes. Parfois, deux accords sont possibles.

RAPPEL

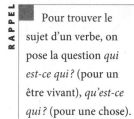

Pour trouver le sujet d'un verbe, on pose la question *qui est-ce qui?* (pour un être vivant), *qu'est-ce qui?* (pour une chose).

1. Le couple, selon ce que j'en sais, partiront en vacances en Gaspésie. **RÉPONSE :** ....

2. Cet ouvrage fait de nous des humains qui comprenons mieux autrui. **RÉPONSE :** ....

3. Ils sont tous d'accord pour rester au travail cette nuit, même si la plupart travaille déjà depuis des heures.

   RÉPONSE : ....

4. Après la fête, tout le monde sont repartis vers le métro.

   RÉPONSE : ....

5. Il faut que toi et moi partent avant 8 heures.

   RÉPONSE : ....

6. Vous êtes de ceux qui aidez les gens dans le besoin.

   RÉPONSE : ....

7. L'un et l'autre chante bien. **RÉPONSE :** ....

8. Peu importent les ennuis financiers, vivons heureux !

   RÉPONSE : ....

9. La plupart d'entre nous sommes invités.

   RÉPONSE : ....

10. Peu de peintres gagne leur vie avec leur art.

    RÉPONSE : ....

POUR EN SAVOIR PLUS, CONSULTER LE TABLEAU ▶SUJET AU *MULTIDICTIONNAIRE* OU DANS *LA NOUVELLE GRAMMAIRE EN TABLEAUX.*

43

Un anglicisme est un mot, une expression, une construction, une orthographe ou un sens propre à la langue anglaise utilisés en français. Les anglicismes sont partout, notamment dans le domaine de l'alimentation.

Entourer et corriger l'anglicisme contenu dans chacune des phrases suivantes.

1. L'assiette froide était composée de jambon, de chorizo, etc.

RÉPONSE : ....

2. Ce restaurant offre un bar à salades.

RÉPONSE : ....

3. Tout au long de la fête, c'est Liette qui est chargée de servir les breuvages. RÉPONSE : ....

4. La consommation de liqueurs douces est très élevée en Amérique. RÉPONSE : ....

5. Mon père sait bien apprêter les filets d'haddock.

RÉPONSE : ....

6. La cuisine créole fait grand usage de la patate sucrée.

RÉPONSE : ....

7. Je prendrai un steak de saumon avec des petits légumes.

RÉPONSE : ....

8. Au retour de l'école, Martine prend une collation de fromage, pomme et cachous. RÉPONSE : ....

9. Un soupçon de sucre brun adoucit la vinaigrette.

RÉPONSE : ....

10. Marguerite a rempli son garde-manger de produits en canne.

RÉPONSE : ....

POUR EN SAVOIR PLUS, CONSULTER LES MOTS MENTIONNÉS AU *MULTIDICTIONNAIRE* ET LE TABLEAU ▶ ANGLICISMES AU *MULTIDICTIONNAIRE* OU DANS *LA NOUVELLE GRAMMAIRE EN TABLEAUX*.

Faire l'accord du participe passé des verbes mis entre crochets.

RAPPEL L'accord des participes passés n'est pas un jeu de hasard, il répond à quelques règles simples et parfois un peu compliquées… comme dans l'exercice ci-contre. Pour faire les bons accords, attention au genre et au nombre des mots avec lesquels les participes s'accordent.

1. Ce sont 15 000 morts que le tsunami a [faire] au Japon en mars 2011. **RÉPONSE :** ....

2. Les enfants que j'ai [voir] glisser m'ont salué de la main.

   RÉPONSE : ....

3. Nous avons bien [rire] de ses blagues.

   RÉPONSE : ....

4. C'est à toute vitesse que les policiers ont [accourir] vers les lieux de l'accident. **RÉPONSE :** ....

5. J'ai acheté six pommes hier et j'en ai [manger] deux ce matin.

   RÉPONSE : ....

6. C'est 100 mètres qu'elle a [courir], et non 80.

   RÉPONSE : ....

7. La sieste que les enfants ont [faire] a été bénéfique.

   RÉPONSE : ....

8. Elle est plus généreuse que je ne l'avais [croire].

   RÉPONSE : ....

9. De nombreux souvenirs ont [disparaître] en un instant dans le naufrage. **RÉPONSE :** ....

10. L'avocate a [exclure] l'hypothèse de l'accident.

    RÉPONSE : ....

POUR EN SAVOIR PLUS, CONSULTER LE TABLEAU ▸**PARTICIPE PASSÉ** AU *MULTIDICTIONNAIRE* OU DANS *LA NOUVELLE GRAMMAIRE EN TABLEAUX*.

45

De nombreuses expressions sont formées avec des noms d'animaux.

« On dit : "bête comme une oie",

Mais moi, j'en ai vu, des oies,

Qui parlaient latin, chinois !

On dit : "sournois comme un chat",

Mais mon matou Attila

Tricote aux souris des bas !

[...]

On dit ci et on dit ça,

Tantôt couci, puis couça

Et patati et patata :

Vraiment, on dit n'importe quoi ! »

Brûler le feu, Marc Alyn.

EXERCICE **38**

Compléter les phrases suivantes à l'aide des mots proposés dans la liste qui suit, en ajoutant les prépositions appropriées.

▶ *autruche* ▶ *chat* ▶ *girafe* ▶ *loir* ▶ *pie* ▶ *puce*
▶ *singe* ▶ *tigre* ▶ *veau* ▶ *zèbre*

1. Le nom du médicament est illisible, ce médecin écrit comme

....

2. Mon voisin est plutôt bizarre, on peut dire que c'est un drôle

....

3. Dès que la saison froide commence, je dors comme

....

4. Il mange de tout sans problème, il a un vrai estomac

....

5. Méfie-toi, il est jaloux comme ....

6. Paresseux, il passe ses journées à peigner

....

7. C'est un vrai homme à tout faire, il est adroit comme

....

8. Elle est bavarde comme ...., c'est difficile à supporter.

9. Son comportement a mis .... à l'oreille de l'enquêteur.

10. Après avoir réalisé sa bévue, l'enfant s'est mis à pleurer comme

....

POUR EN SAVOIR PLUS, CONSULTER LES MOTS MENTIONNÉS AU *MULTIDICTIONNAIRE* OU DANS UN DICTIONNAIRE DE LANGUE.

Faire l'accord des participes passés des verbes pronominaux.

1. Sinistrés et sauveteurs se sont entraidé....

2. Elle s'est permis.... de prélever une plus grosse part du gâteau.

3. Susceptible, elle s'est persuadé.... que tout le monde la déteste.

4. Marie s'est absenté.... sans autorisation.

5. Elles se sont rendu.... compte de leur erreur.

6. Les athlètes se sont donné.... un défi.

7. Les poules se sont échappé.... de l'enclos.

8. Finalement, ils se sont nui...., eux qui croyaient se venir en aide.

9. Des signes d'encouragement, ils s'en sont donné....

10. Vous vous êtes toujours soutenu.... dans les épreuves.

RAPPEL

Certains verbes pronominaux sont accompagnés d'un pronom personnel complément (*me, te, se, nous, vous*) qui représente le sujet : ce sont les verbes réfléchis. Ces verbes s'accordent avec le complément direct, si celui-ci précède le verbe. D'autres verbes pronominaux, appelés non réfléchis, sont accompagnés d'un pronom (*me, te, se,* etc.) qui n'est pas un complément direct, mais qui fait partie de la forme verbale, pour ainsi dire : ce pronom est sans fonction logique. Ces verbes s'accordent avec le sujet.

POUR EN SAVOIR PLUS, CONSULTER LE TABLEAU ▶**PRONOMINAUX** AU *MULTIDICTIONNAIRE* OU DANS *LA NOUVELLE GRAMMAIRE EN TABLEAUX.*

47

La dénomination des habitants d'un lieu (continent, pays, région, ville, village, etc.) est un gentilé. Le nom *Québécois* est un gentilé.

40

Répondre aux questions suivantes.

1. Les gentilés s'écrivent avec une majuscule initiale.
VRAI .... FAUX ....

2. Les adjectifs dérivés de gentilés s'écrivent avec une minuscule initiale. VRAI .... FAUX ....

3. Les noms et les adjectifs dérivés des noms de langues s'écrivent avec une minuscule initiale. VRAI .... FAUX ....

4. Quel est le gentilé des habitants du Nouveau-Brunswick ?
RÉPONSE : ....

5. La phrase suivante est-elle bien orthographiée ?
Nous achetons québécois.
OUI .... NON ....

6. La phrase suivante est-elle bien orthographiée ?
Jorge est un Néo-Québécois. OUI .... NON ....

7. Le mot *inuit*, comme nom et comme adjectif, est toujours invariable. VRAI .... FAUX ....

8. L'expression suivante est-elle bien orthographiée ?
Les Canadiens anglais. OUI .... NON ....

9. Écrire le nom du pays correspondant aux gentilés suivants :

GENTILÉS	NOM DU PAYS
un Danois/une Danoise	....
un Nigérien/une Nigérienne	....
un Péruvien/une Péruvienne	....
un Saoudien/une Saoudienne	....
un Vénézuélien/une Vénézuélienne	....

10. Écrire aux deux genres le nom des gentilés des pays suivants :

NOM DU PAYS	GENTILÉS
Guatemala	.... / ....
Madagascar	.... / ....
Monaco	.... / ....
Nigéria	.... / ....
Turquie	.... / ....

QUÉBÉCOIS

GENTILÉ

POUR EN SAVOIR PLUS, CONSULTER LE TABLEAU ▸**PEUPLES (NOMS DE)** AU *MULTIDICTIONNAIRE* OU DANS *LA NOUVELLE GRAMMAIRE EN TABLEAUX.*

41 **Est-ce *tel, tels, telle* ou *telles*?**

1. Un .... bonheur, est-ce possible?

2. Ces exigences sont obligatoires, considérez-les donc comme

   ....

3. Il a protesté avec un .... aplomb que tout le monde l'a cru.

4. C'est comme ça : .... accepte la situation, ... la rejette.

5. .... qui rit vendredi dimanche pleurera, dit le proverbe.

6. J'adore les pâtisseries .... que les macarons et les choux à la

   crème.

7. .... que promis, la loi a été modifiée.

8. Elle adore les roses, ... celles qu'elle a reçues hier.

9. .... des perles, les gouttes de rosée enjolivent le jardin.

10. Je les croyais abîmées par l'inondation, mais j'ai heureusement

    retrouvé mes photos .... quelles.

R A P P E L

Tel (seul ou suivi de *que*) est un déterminant indéfini; *tel* est aussi un pronom indéfini singulier.

« Machin, chose, un tel, une telle

Tous ceux du commun des mortels »

Celui qui a mal tourné, Georges Brassens.

POUR EN SAVOIR PLUS, CONSULTER LE TABLEAU ▶**TEL** AU *MULTIDICTIONNAIRE* OU DANS *LA NOUVELLE GRAMMAIRE EN TABLEAUX*.

4 9

On a beau dire qu'un mot s'écrit comme il se prononce, ce n'est pas toujours le cas. De même, on pourrait dire d'un mot qu'il se prononce comme il s'écrit, mais cela demande quelquefois un peu d'attention…

EXERCICE

42

Lire les phrases suivantes à voix haute, puis cocher la bonne réponse.

1. Ils sont sains et saufs. Dans la phrase précédente, on ne fait pas la liaison entre l'adjectif *sains* et la conjonction *et*.

VRAI ……. FAUX …….

2. La première syllabe des noms *chiendent* et *chienlit* se prononce comme le nom *chien*. VRAI ……. FAUX …….

3. La première syllabe du nom *pensum* se prononce comme le nom *pain*. VRAI ……. FAUX …….

4. Le nom *pied-à-terre*, qui se prononce « piétaterre » au singulier, se prononce « piésaterre » au pluriel. VRAI ……. FAUX …….

5. L'expression *tous azimuts* se prononce « touzazimut ».

VRAI ……. FAUX …….

6. Les lettres *œ* du nom *œnologie* se prononcent « eu ».

VRAI ……. FAUX …….

7. Dans *un or mat*, l'adjectif *mat* se prononce « mate ».

VRAI ……. FAUX …….

8. Le nom *varech* rime avec l'adjectif *rêche*. VRAI ……. FAUX …….

9. La première syllabe du nom *ressemblance* se prononce « re ».

VRAI ……. FAUX …….

10. Les lettres *ll* du verbe *distiller* se prononcent comme un seul.

VRAI ……. FAUX …….

POUR EN SAVOIR PLUS, CONSULTER LES MOTS MENTIONNÉS AU *MULTIDICTIONNAIRE* OU DANS UN DICTIONNAIRE DE LANGUE.

Faire l'accord du participe passé des verbes mis entre crochets.

L'accord des participes passés n'est pas un jeu de hasard, il répond à quelques règles simples et parfois un peu compliquées… comme dans l'exercice ci-contre. Pour faire les bons accords, attention au genre et au nombre des mots avec lesquels les participes s'accordent.

1. [Excepter] les nouveaux arrivants, tous les autres devront présenter leurs papiers. RÉPONSE : ....

2. As-tu aimé la bonne tarte que j'ai [faire].

   RÉPONSE : ....

3. Je les ai [attendre] longtemps, ces excuses.

   RÉPONSE : ....

4. La récolte a été meilleure qu'on ne l'avait [souhaiter].

   RÉPONSE : ....

5. Des extraterrestres, personne n'en a beaucoup [voir].

   RÉPONSE : ....

6. Les mauvaises nouvelles ont [pleuvoir] sur lui depuis le début de l'année. RÉPONSE : ....

7. Elle souhaite oublier les mauvais souvenirs qu'elle a [garder] de cette aventure. RÉPONSE : ....

8. Les lilas ont [fleurir] tôt cette année.

   RÉPONSE : ....

9. Sa conversation est toujours [émailler] d'anecdotes savoureuses.

   RÉPONSE : ....

10. Ils ont déclenché une grève qu'on a [dire] spontanée.

    RÉPONSE : ....

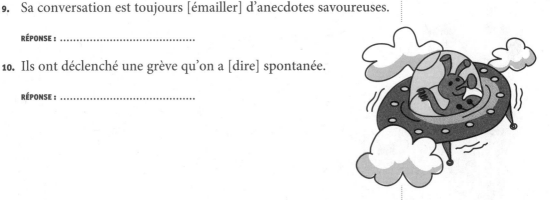

POUR EN SAVOIR PLUS, CONSULTER LE TABLEAU ▶**PARTICIPE PASSÉ** AU *MULTIDICTIONNAIRE* OU DANS *LA NOUVELLE GRAMMAIRE EN TABLEAUX.*

51

Un anglicisme est un mot, une expression, une construction, une orthographe ou un sens propre à la langue anglaise utilisés en français.
Les anglicismes sont partout, notamment dans le domaine des sports.

44

Entourer et corriger l'anglicisme contenu dans chacune des phrases suivantes.

1. Le lundi, toute la famille Tremblay joue au bowling.

RÉPONSE : ....

2. Stéphane est un goaleur recherché.

RÉPONSE : ....

3. Émilie travaille comme lifeguard pendant l'été.

RÉPONSE : ....

4. « Avez-vous bien ciré vos skis ? », demande l'instructeur.

RÉPONSE : ....

5. Jean a donné son skate-board à son jeune frère.

RÉPONSE : ....

6. Marina s'est inscrite en piste et pelouse.

RÉPONSE : ....

7. Le gymnaste, blessé, a dû interrompre sa routine.

RÉPONSE : ....

8. Un spectateur mécontent a déchiré le net, interrompant la partie de badminton. RÉPONSE : ....

9. Éric a reçu un billet de saison pour assister aux matchs de hockey. RÉPONSE : ....

10. Normand rêve de jet-ski depuis l'arrivée du printemps.

RÉPONSE : ....

POUR EN SAVOIR PLUS, CONSULTER LES MOTS MENTIONNÉS AU *MULTIDICTIONNAIRE* ET LE TABLEAU ▶ **ANGLICISMES** AU *MULTIDICTIONNAIRE* OU DANS *LA NOUVELLE GRAMMAIRE EN TABLEAUX*.

Faire l'accord des adjectifs de couleur.

1. Comment s'appellent ces fleurs jaune.... et celles-ci qui sont incarnat.... ?

2. Des cernes bistre.... entouraient ses yeux.

3. Ces agents de sécurité portent des uniformes vert.... foncé....

4. Le tissu présente des cercles mauves.... et des rayures ivoire....

5. Acheter une layette bleu....? D'accord, mais alors une layette bleu.... pâle....

6. Des cheveux acajou.... seyent bien à son teint.

7. Les murs sont blanc.... cassé.... et les armoires, beige....

8. Ses joues sont devenues cramoisi.... devant tant de compliments.

9. Des taches marron.... ont ruiné ses jupes bleu.... marine....

10. Choisirez-vous les chaussettes prune.... ou les roses....?

RAPPEL

Les adjectifs de couleur simples (*brun*) ou qui dérivent d'adjectifs ou de noms de couleur (*doré*) sont variables. Les adjectifs composés (*café au lait*) et les noms simples ou composés employés comme adjectifs (*orange*) sont invariables.

« J'aime ta couleur café

Tes cheveux café

Ta gorge café

J'aime quand pour moi tu danses »

Couleur café, Serge Gainsbourg.

POUR EN SAVOIR PLUS, CONSULTER LE TABLEAU ▸**COULEUR (ADJECTIFS DE)** AU *MULTIDICTIONNAIRE* OU DANS *LA NOUVELLE GRAMMAIRE EN TABLEAUX*.

5 3

RAPPEL

Les paronymes sont des mots qui présentent une ressemblance d'orthographe ou de prononciation, sans avoir la même signification.

« *Original* et *originel* partagent cette aptitude : ils sont toujours les premiers. Mais là où *original* provoque les reproductions plus ou moins réussies, *originel* ne vaut que par lui-même. *Original* est premier de classe ; *originel*, premier de cordée. On copie l'un, on suit l'autre. »

Un mot pour un autre,
Rémi Bertrand.

EXERCICE 46

Il y a une ressemblance, mais ce n'est pas tout à fait le bon mot. Entourer d'abord le mot erroné dans chacune des phrases, puis le remplacer par le mot juste.

1. Au lendemain des fêtes, elle a l'habitude de servir des tisanes digestibles. **RÉPONSE :** ....

2. On surveille de près l'inclination de la célèbre tour de Pise.
   RÉPONSE : ....

3. Le voleur a fait éruption devant le caissier sans crier gare.
   RÉPONSE : ....

4. Le bambin a étanché sa peine dans les bras de sa maman.
   RÉPONSE : ....

5. Même s'il n'y est pour rien, il est bourré de remords depuis l'accident. **RÉPONSE :** ....

6. Timidement, l'enfant affleure la barbe du vieillard.
   RÉPONSE : ....

7. Acheter cet immeuble dans la conjecture actuelle me semble risqué. **RÉPONSE :** ....

8. Aussitôt votre bulletin d'adhérence rempli, vous recevrez notre prime. **RÉPONSE :** ....

9. Le mystère de sa naissance a enfin été éludé.
   RÉPONSE : ....

10. Installons le hamac dans l'espace ombrageux sous ces arbres.
    RÉPONSE : ....

POUR EN SAVOIR PLUS, CONSULTER LES MOTS MENTIONNÉS AU *MULTIDICTIONNAIRE* ET LE TABLEAU ▸ PARONYMES AU *MULTIDICTIONNAIRE* OU DANS *LA NOUVELLE GRAMMAIRE EN TABLEAUX*.

47   **Est-ce *tous, tout, toute, toutes* ou *touts*?**

R A P P E L   Le mot *tout* peut être un déterminant, un adverbe, un pronom, un nom; on hésite parfois sur son accord.

1. Les étudiants doivent lire d'abord .... les exemples.

2. Dans son discours, le maire nous a servi .... une panoplie d'arguments fallacieux.

3. Ces deux bagues m'intéressent, alors c'est .... ou rien, je prends les deux.

4. .... ensemble, nous réussirons.

5. Les enfants se sont dits .... penauds de leur mauvais coup.

6. Le directeur a prévenu les retardataires que .... autre absence non motivée entraînerait le renvoi.

7. .... les auteurs de ce recueil sont nés en Gaspésie, et .... ont vanté ce coin de pays.

8. .... bouteille, ... boîte, ... emballage sera ramassé dès la fin de la fête.

9. Il faut de .... pour faire un monde, c'est bien connu.

10. Une fois pour ...., je te le répète : .... et .... ont été invités.

POUR EN SAVOIR PLUS, CONSULTER LE TABLEAU ►**TOUT (ACCORD DE)** AU *MULTIDICTIONNAIRE* OU DANS *LA NOUVELLE GRAMMAIRE EN TABLEAUX.*

5 5

De nombreuses expressions sont formées avec des noms de parties du corps.

Compléter les phrases suivantes à l'aide des mots proposés dans la liste qui suit, en faisant les accords et en ajoutant les prépositions appropriées au besoin.

▸ *bec* ▸ *coude* ▸ *doigt* ▸ *genou* ▸ *gorge* ▸ *ongle*
▸ *pied* ▸ *tête* ▸ *ventre* ▸ *œil*

1. Dès que le fumet de la tarte aux pommes se répand, voilà les enfants qui arrivent..................... à terre.

2. Ce nouveau téléphone intelligent coûte les yeux de....................

3. Le proverbe dit : Entre l'arbre et l'écorce, il ne faut pas mettre....................

4. L'étalage de sa fortune ne sert qu'à jeter de la poudre....................

5. Ne vous inquiétez pas, il vous paiera rubis sur....................

6. C'est un malveillant qui se plaît à faire..................... chaudes des faiblesses d'autrui.

7. Après avoir participé à un marathon de danse, la voilà maintenant sur....................

8. Comptez sur lui pour se défendre..................... et ongles.

9. On se tient les..................... dans cette communauté.

10. Il faut savoir lever..................... de temps à autre pour ralentir le rythme du quotidien.

POUR EN SAVOIR PLUS, CONSULTER LES MOTS MENTIONNÉS AU *MULTIDICTIONNAIRE* OU DANS UN DICTIONNAIRE DE LANGUE.

49

Écrire la forme correcte : *quel, quelle, quel que,*
quelle que, quelque, quelques **ou** *qu'elle.*

R A P P E L

Est-ce *quel,*
quelle (déterminant
interrogatif ou
exclamatif),
quel que, quelle que
(déterminant relatif),
quelque (déterminant
indéfini), *quelque*
(adverbe) ou même
qu'elle (forme élidée
de la conjonction
ou du pronom *que*
et du pronom
personnel *elle*) ?

1. Mon billet a coûté .... 60 $.

2. .... soit votre position, appuierez-vous le nouveau
règlement ?

3. .... amis ont été contactés ?

4. .... record qu'il ait battu, sa soif d'honneurs est toujours
aussi vive.

5. Je ne l'ai vu que .... fois, trois ou quatre fois peut-être.

6. .... bonasses qu'ils soient, ils ont quand même vite
découvert la supercherie.

7. Le livreur m'a remis trois dollars et ....

8. .... pressé que vous soyez, attendez encore un peu.

9. Son horaire est si bien planifié .... est rarement en
retard à ses rendez-vous.

10. Je suivrai tes recommandations, ... elles soient.

RAPPEL

Même si le système de numération en chiffres romains n'est plus d'usage courant, il est quand même très utile de le connaître, ne serait-ce que pour lire les dates de certaines inscriptions, pour numéroter les divisions d'un ouvrage, etc.

« L'invention des chiffres romains est d'ailleurs une trouvaille de bergers. Imaginons le berger romain en train de compter ses moutons en faisant des encoches sur un bâton de bois. Comme la perception de l'œil humain ne dépasse généralement pas quatre éléments séparés, notre berger invente une entaille différente pour désigner le chiffre cinq. Telle est l'origine du *V* pour *5* et du *X* pour *10*. Mais les chiffres romains n'ont pas connu la gloire du latin et de son alphabet. Leur utilisation trop compliquée pour le calcul leur valut d'être abandonnés au Moyen Âge au profit des chiffres arabes. »

Si la langue m'était contée, Magali Favre, Fides.

HENRI VIII

EXERCICE

50 **Répondre aux questions suivantes.**

1. Les chiffres romains s'écrivent à l'aide des six lettres suivantes :
   I V X L C D   VRAI .... FAUX ....

2. On emploie les chiffres romains entre autres pour noter les noms de souverains. VRAI .... FAUX ....

3. On n'emploie jamais les chiffres romains pour noter les noms d'olympiades. VRAI .... FAUX ....

4. L'inscription de la date au générique d'un film se note en chiffres romains. VRAI .... FAUX ....

5. Pour multiplier un chiffre romain par 1000, on place un trait de soulignement sous le chiffre que l'on veut multiplier.
   VRAI .... FAUX ....

6. Dans une colonne, contrairement aux chiffres arabes, les chiffres romains s'alignent verticalement à gauche. VRAI .... FAUX ....

7. En chiffres romains, on ne peut additionner plus de trois unités du même nombre, on recourt ensuite à la soustraction.
   VRAI .... FAUX ....

8. Le chiffre arabe *4* peut se noter de deux façons dans le système romain. VRAI .... FAUX ....

9. Écrire les nombres suivants en chiffres romains :

CHIFFRES ARABES		CHIFFRES ROMAINS
1957	correspond à	....
45	correspond à	....
359	correspond à	....
2948	correspond à	....
3056	correspond à	....

10. Écrire les nombres suivants en chiffres arabes :

CHIFFRES ROMAINS		CHIFFRES ARABES
CXXVIII	correspond à	....
XXXII	correspond à	....
LXIV	correspond à	....
MCCI	correspond à	....
CD	correspond à	....

POUR EN SAVOIR PLUS, CONSULTER LE TABLEAU ▶ **CHIFFRES ROMAINS** AU *MULTIDICTIONNAIRE* OU DANS *LA NOUVELLE GRAMMAIRE EN TABLEAUX*.

CORRIGÉ

CORRIGÉ

1. Elle court les soldes **alléchants** de la saison.

2. Il a l'art de trouver les échappatoires les plus **étonnantes**.

3. Des astérisques **dorés** soulignent les mots à retenir.

4. Depuis son départ, les après-midi sont plutôt **ennuyants** (ou **ennuyantes**).

   ▶ Le nom *après-midi* est masculin ou féminin. Les rectifications orthographiques acceptent la forme plurielle *après-midis*, pour ce mot qui était traditionnellement invariable.

5. L'auteur a publié des mémoires très **croustillants**.

6. Des pétales **desséchés** tombent par terre.

7. L'atmosphère **lourde** n'arrange pas les choses entre eux.

8. Ajouter deux onces **nettes** de cognac, pas plus, au cocktail.

9. De **pesants** haltères lui ont écrasé le pied.

10. De **nombreuses** anicroches ont gâché l'excursion.

CORRIGÉ

1. **Faux.** Le préfixe *amphi–* est d'origine grecque et signifie soit « en double » soit « autour ».

2. **Vrai.**

3. **Vrai.**

4. **Vrai.**

5. **Faux.** Le préfixe latin *api-* signifie « abeille ».

6. **Faux.** Le préfixe *cata-* est d'origine grecque.

7. **Vrai.**

8. **Faux.** Le préfixe latin *viti-* signifie « vigne ».

9. La sériciculture est l'élevage des vers à soie.

10. *Omnivore* signifie « qui se nourrit de végétaux et d'animaux ».

CORRIGÉ

1. C'est fascinant de voir ces neurones **enchevêtrés** sur l'illustration.

2. La phrase est correcte.

3. L'iode a été **découvert** en 1811 par le chimiste Bernard Courtois, mais c'est Gay-Lussac qui lui a donné son nom en 1814.

4. La phrase est correcte.

5. L'obscurité était profonde, les ténèbres étaient **apeurantes**.

6. Les enzymes **puissants** (ou **puissantes**) de cette lessive agissent mieux sur certaines taches.

7. C'est **au** carotène **contenu** dans son alimentation qu'est due la coloration rose du flamant.

8. L'orteil a été **sectionné** par la lame très affûtée.

9. Les moustiquaires sont complètement **trouées**.

10. Les alinéas sont **nombreux** dans ce texte.

EXERCICE 4 CORRIGÉ

1. Vrai.

2. Vrai.

3. **Vrai et faux.** Le *p* du verbe *dompter* et de ses dérivés se prononce ou non.

4. **Vrai et faux.** La dernière syllabe du nom *carrousel* se prononce « zel » ou « sel ».

5. **Faux.** La première syllabe de *moelle* et de ses dérivés se prononce « moa ».

6. Vrai.

7. Vrai.

8. **Vrai**, comme dans le nom *automne*.

9. Vrai.

10. **Vrai.** Les R. O. admettent *à fortiori*.

EXERCICE 5 CORRIGÉ

1. Sa tablette électronique lui est **devenue** indispensable.
   ▶ Le participe passé employé avec l'auxiliaire *être* s'accorde avec le sujet du verbe (*tablette*, féminin singulier).

2. Pauvre lui, son humeur maussade est **causée** par le manque de luminosité saisonnière !
   ▶ Le participe passé employé avec l'auxiliaire *être* s'accorde avec le sujet du verbe (*humeur*, féminin singulier).

3. À côté des ingrédients est **notée** la teneur en gras et en sucre.
   ▶ Le participe passé employé avec l'auxiliaire *être* s'accorde avec le sujet du verbe (*teneur*, féminin singulier).

4. Quelques gouttes d'huile d'argan seront **ajoutées** au potage.
   ▶ Le participe passé employé avec l'auxiliaire *être* s'accorde avec le sujet du verbe (*gouttes*, féminin pluriel).

5. Des vidéos ont été **tournées** à Resolute Bay, dans l'Arctique canadien.

▶ Le participe passé employé avec l'auxiliaire *être* s'accorde avec le sujet du verbe (*vidéos*, féminin pluriel).

6. La plus vieille maison de la ville de Québec, la maison Jacques, a été **bâtie** il y a plus de 330 ans.

▶ Le participe passé employé avec l'auxiliaire *être* s'accorde avec le sujet du verbe (*maison*, féminin singulier).

7. L'en-tête de lettre est **gravé**.

▶ Le participe passé employé avec l'auxiliaire *être* s'accorde avec le sujet du verbe (*en-tête*, masculin singulier).

8. L'asphalte est complètement **desséché**.

▶ Le participe passé employé avec l'auxiliaire *être* s'accorde avec le sujet du verbe (*asphalte*, masculin singulier).

9. Ces pétoncles sont **cuits** à la perfection.

▶ Le participe passé employé avec l'auxiliaire *être* s'accorde avec le sujet du verbe (*pétoncles*, masculin pluriel).

10. Les astérisques et les apostrophes ont été **inversés** dans le texte.

▶ Le participe passé employé avec l'auxiliaire *être* s'accorde avec les sujets du verbe (*astérisques*, masculin pluriel et *apostrophes*, féminin pluriel : l'accord se fait donc au masculin pluriel).

6 CORRIGÉ

1. Avant de se présenter à l'audition, Sofia a besoin d'**assistance professionnelle** pour mettre toutes les chances de son côté.

▶ Pour une aide en formation théorique, on emploiera plutôt *cours préparatoire*.

2. Dans cet établissement, le **prix d'entrée** (ou le **droit d'entrée**) est de 10 $.

3. Ma voisine de 87 ans manque de temps pour s'adonner à tous les **passe-temps** qui l'intéressent.

4. Les chevaux piaffent à la **barrière de départ**, tandis que les parieurs piaffent d'impatience en attendant les résultats.

5. Manuel a enregistré sa première **chanson** hier.

6. Les **objets exposés** de la nouvelle salle du musée sont à voir sans faute.

7. Le guide de l'exposition indique que la statuette date d'**environ** 1880.

8. **Dans les coulisses**, le chanteur préparait son entrée.

9. Le comédien, surmené, a eu quatre **trous** de mémoire au cours de la même représentation !

10. Dès qu'il a mis les pieds sur la **scène**, le trac a envahi Martin.

1. Les nouveaux participants **donneront** le coup d'envoi.
  ▶ Accord avec le sujet pluriel *participants*.

2. C'est toi qui **coures** le plus vite.
  ▶ Accord avec *qui* mis pour *toi*, à la 2ᵉ personne du singulier.

3. Il avait l'impression qu'un malheur, un grand malheur **allait** lui tomber dessus.
  ▶ L'accord se fait au singulier lorsqu'il y a gradation dans les sujets.

4. Votre nom et votre question **devront** figurer sur la première ligne.
  ▶ Accord avec les sujets *nom* et *question*, au masculin pluriel.

5. En général, tout le monde **aime** les compliments.
  ▶ Accord au singulier avec le collectif *tout le monde*.

6. Elle et moi **partirons** à la première heure.
  ▶ Quand les deux pronoms sujets sont de personnes différentes, l'accord se fait au pluriel et la 1ʳᵉ personne prévaut sur la 2ᵉ, etc. Ici, la 1ʳᵉ personne (*moi*) prévaut sur la 3ᵉ personne (*elle*), l'accord se fait donc à la 1ʳᵉ personne du pluriel. On pourrait d'ailleurs remplacer les pronoms *elle* et *moi* par *nous*.

7. Bien des problèmes **restent** à régler.
  ▶ Le participe passé employé avec l'auxiliaire *être* s'accorde avec le sujet; l'accord se fait avec le complément (*problèmes*) de la locution de quantité (*bien des*).

8. Georges ou Fred **sera** élu maire.
  ▶ Accord au singulier ici. Soit Georges soit Fred sera élu, sûrement pas les deux.

9. Ni sa sœur ni son frère ne **participera** (ou **participeront**) à la fête.
  ▶ L'accord peut se faire au singulier ou au pluriel selon l'intention de l'auteur.

10. Tu **viendras** au cours demain?
  ▶ Accord avec le sujet, à la 2ᵉ personne du singulier.

1. Le nom *hygiène* provient du grec; le nom *malaria* provient de l'italien.

2. Les noms *casino et fiasco* proviennent de l'italien.

3. Les noms *album* et *alléluia* proviennent du latin.

4. Le nom *ultimatum* provient du latin; le nom *iota* provient du grec.

5. Le nom *ténor* provient de l'italien; le nom *larynx* provient du grec.

6. Le nom *virtuose* provient de l'italien; le nom *xylophone* provient du grec.

7. Le nom *alibi* provient du latin; le nom *brigand* provient de l'italien.

8. Le nom *crédit* provient du latin; le nom *solfège* provient de l'italien.

9. Le nom *balcon* provient de l'italien; le nom *pastèque* provient de l'arabe.

10. Le nom *câpre* provient de l'arabe; le nom *radis* provient de l'italien.

1. C'est **toute** une histoire que tu me racontes là.

▶ Au sens de «véritable», *tout* est un déterminant défini qui s'accorde avec le nom qu'il détermine (*histoire*, au féminin singulier).

2. Ils sont **tout** tristes à l'idée du départ.

▶ Ici, *tout* est adverbe et donc invariable; il signifie «tout à fait».

3. Malheureusement, **tous** ses enfants l'ont abandonné.

▶ Ici, *tous* est un déterminant possessif qui s'accorde avec *enfants*, au masculin pluriel.

4. Elle aspire au bonheur, comme **tout** un chacun.

▶ L'expression s'écrit bien *tout un chacun*.

5. Cette question, qui semblait d'abord très difficile, s'est révélée **tout** autre finalement.

▶ Quand il signifie «complètement», *tout* suivi de *autre* est adverbe et donc invariable.

6. De **tout** temps, les diseurs de bonne aventure ont eu leur public.

▶ L'expression *de tout temps* s'écrit au singulier.

7. **Tout** généreux qu'ils soient, ils ne peuvent donner plus.

▶ Ici, *tout* a le sens de «si», il est adverbe et donc invariable.

8. Les spectateurs arrivant en retard seront **tous** refusés.

▶ Ici, *tous* est un pronom qui prend le genre et le nombre du nom qu'il représente (*spectateurs*, au masculin pluriel). Dans cet emploi, le *s* de *tous* est sonore (contrairement à l'emploi comme déterminant: *tous les enfants*).

9. N'insiste pas : je n'irai pas, un point c'est **tout**.

▶ Ici, *tout* est un pronom neutre, invariable.

10. Elle est arrivée **tout** en sueur.

▶ Ici, *tout* a le sens de «complètement», il est donc adverbe et invariable.

1. Ses traits étaient complètement **distordus** par la douleur.

▶ On dira plus couramment : *tordus par la douleur*.

2. ▶ Les Inconnus font de l'humour, mais le verbe est, bien sûr, *conquérir*.

3. Ces dépenses sont-elles **déductibles**?

4. Les **anfractuosités** de la route qui mène au chalet sont pénibles à traverser.

5. Il faut revoir l'aspect **pécuniaire** du rapport.

6. La **couverture** du livre est toute maculée de sauce.

7. Elle consulte une **cartomancienne** le jour de son anniversaire.

8. Tous les **recoins** de la pièce ont été fouillés.

9. Où as-tu mis le **couvercle** du pot de miel?

10. Nous devrons nous rendre à l'**aéroport** très tôt.

1. Elle s'est **taillé** une belle réputation par ce geste.

   ▶ À la forme pronominale, le participe passé de ce verbe s'accorde en genre et en nombre avec le complément direct (*réputation*) si celui-ci le précède, ce qui n'est pas le cas ici.

2. Elle s'est **imposée** par son attitude ferme.

   ▶ À la forme pronominale, le participe passé de ce verbe s'accorde en genre et en nombre avec le complément direct (*s'* mis pour *elle*) si celui-ci le précède, comme c'est le cas ici.

3. Ils se sont **consacrés** pendant des heures à cet ouvrage.

   ▶ À la forme pronominale, le participe passé de ce verbe s'accorde en genre et en nombre avec le complément direct (*se*, mis pour *ils*) si celui-ci le précède, comme c'est le cas ici.

4. Elles se sont **dites** heureuses.

   ▶ Le participe passé d'un verbe pronominal suivi d'un attribut du pronom complément s'accorde en genre et en nombre avec le sujet (*elles*).

5. Elle s'est **trouvée** désemparée à la lecture de l'avis d'éviction.

   ▶ À la forme pronominale, le participe passé de ce verbe s'accorde en genre et en nombre avec le complément direct (*s'* mis pour *elle*) si celui-ci le précède, comme c'est le cas ici.

6. Elles se sont **dit** des gentillesses.

   ▶ À la forme pronominale, le participe passé de ce verbe s'accorde en genre et en nombre avec le complément direct (*gentillesses*) si celui-ci le précède, ce qui n'est pas le cas ici.

7. La voleuse, profitant d'un moment d'inattention, s'est **enfuie** avec la caisse.

   ▶ Le participe passé de ce verbe, qui n'existe qu'à la forme pronominale, s'accorde toujours en genre et en nombre avec son sujet (*voleuse*).

8. L'athlète s'est **imposé** une discipline impitoyable.

   ▶ À la forme pronominale, le participe passé de ce verbe s'accorde en genre et en nombre avec le complément direct (*discipline*) si celui-ci le précède, ce qui n'est pas le cas ici.

9. Soudain la pluie s'est **abattue** sur la scène en plein air, entraînant l'annulation du spectacle.

   ▶ En ce sens, le participe passé de ce verbe s'accorde en genre et en nombre avec son sujet (*pluie*).

10. Elle s'est finalement **trouvé** une maison.

    ▶ À la forme pronominale, le participe passé de ce verbe s'accorde en genre et en nombre avec le complément direct (*maison*) si celui-ci le précède, ce qui n'est pas le cas ici.

1. **Faux**. Par exemple, *h* est le symbole de *heure*.

2. **Vrai**. Par exemple, *PME* est un sigle ; *OVNI* est un acronyme.

3. **Faux**. La tendance actuelle est d'omettre les points abréviatifs.

4. **Faux**. Les symboles ne prennent pas la marque du pluriel ; la question du pluriel ne se pose donc pas.

5. **Faux**. Le symbole du pourcentage (%) s'écrit, **avec espacement**, après l'expression numérale.

6. **Faux**. Cette représentation graphique est un **pictogramme**.

7. **Faux**. En fait, les sigles sont du genre et du nombre du mot principal de la désignation abrégée. Par exemple, on dira *un CLSC* (centre local de services communautaires).

8. Le symbole de *kiloeuro* est **k€** (sans point final).
   Le symbole de *kilomètres* est **km** (sans point final).
   Le symbole de *hydrogène* est **H** (sans point final).
   Le symbole de *minute* est **min** (sans point final).
   Le symbole de *heure* est **h** (sans point final).

9. L'abréviation de *boulevard* est **bd, b**ᵈ **ou boul.**
   L'abréviation de *rendez-vous* est **r.-v.**
   L'abréviation de *docteure* est **Dre** ou **D**ʳᵉ (sans point final).
   L'abréviation de *avenue* est **av.**
   L'abréviation de *quelqu'un* est **qqn** (sans point final).

10. FMI est le sigle de **Fonds monétaire international**.
    OQLF est le sigle de **Office québécois de la langue française**.
    OVNI est l'acronyme de **objet volant non identifié**.
    CUP est le sigle de **code universel de produits**.
    Modem est l'acronyme de **modulateur démodulateur**.
    ONG est le sigle de **organisation non gouvernementale**.

1. Des rayures **citron** illuminent les murs blanchâtres.
   ▶ Les noms simples employés comme adjectifs de couleur sont invariables.

2. Ses yeux **bleu-vert** deviennent parfois **bleu turquoise**.
   ▶ Les adjectifs de couleur composés (avec un autre adjectif ou un nom), comme *bleu-vert*, *bleu turquoise*) sont invariables ; lorsqu'il s'agit de deux adjectifs simples comme *bleu* et *vert*, ils sont joints par un trait d'union.

3. Elle aime les accessoires **rouge tomate**.
   ▶ Les adjectifs de couleur composés (avec un autre adjectif ou un nom) sont invariables.

4. Ils portent tous des chemises **gris acier**.
   ▶ Les adjectifs de couleur composés (avec un autre adjectif ou un nom) sont invariables.

5. Il a les yeux **saphir**; on dirait deux pierres précieuses.
   ▶ Les noms simples employés comme adjectifs pour désigner une couleur sont invariables.

6. Les petites maisons **pistache** des Îles-de-la-Madeleine sont ravissantes.
   ▶ Les noms simples employés comme adjectifs pour désigner une couleur sont invariables.

7. Les couleurs **pastel** ont un effet apaisant.
   ▶ Les noms simples employés comme adjectifs pour désigner une couleur sont invariables.

8. Ces photos **sépia** la rendent nostalgique.
   ▶ Les noms simples employés comme adjectifs pour désigner une couleur sont invariables.

9. Pour le canapé, le styliste a imposé des tons **anthracite**.
   ▶ Les noms simples employés comme adjectifs pour désigner une couleur sont invariables.

10. Les tons **glauques** de ces tableaux traduisent l'univers tordu du peintre.
    ▶ Les adjectifs de couleur simples s'accordent en genre et en nombre.

EXERCICE **14** CORRIGÉ

1. **À son corps défendant**, Béatrice ne pouvait s'empêcher de le **couver des yeux**.

2. En entendant son **argument massue**, il **perdit contenance**.

3. Ce lucratif contrat **tombe pile**, c'est demain la **date butoir** du paiement.

4. Cet ouvrage raconte les faits **hauts en couleur** de ce hameau maintenant **en déshérence**.

5. Méfiez-vous des fausses promesses de cette publicité : ce n'est qu'un **miroir aux alouettes**.

6. Malheureusement, depuis quelque temps notre relation **s'en va à vau-l'eau**; nous nous traitions pourtant **aux petits oignons** avant.

7. Tu fais mieux de **mettre la pédale douce**, sinon tu risques de **perdre les pédales** dans tes explications.

8. Sans qu'on s'explique pourquoi, il **a pris en grippe** les animaux de compagnie.

9. Ce nouvel investissement, ce n'est qu'un **coup d'épée dans l'eau**.

10. Il boit **à profusion** pour oublier cette **épée de Damoclès** qui ne le quitte pas.

EXERCICE **15** CORRIGÉ

1. Les parents ne s'étaient pas **doutés** de la venue de leur fille.
   ▶ Le participe passé du verbe pronominal non réfléchi *se douter de* s'accorde en genre et en nombre avec son sujet (*parents*).

2. Elle s'est **acheté** deux tablettes électroniques.
   ▶ Le participe passé de ce verbe pronominal réfléchi s'accorde en genre et en nombre avec le complément direct (*tablettes*) si celui-ci le précède, ce qui n'est pas le cas ici.

3. Les riverains se sont **attendus** au pire, mais finalement sans raison.

   ▶ Le participe passé du verbe pronominal non réfléchi *s'attendre à* s'accorde en genre et en nombre avec son sujet (*riverains*).

4. Les chemises qu'il s'est **achetées** sont trop grandes.

   ▶ Le participe passé de ce verbe pronominal réfléchi s'accorde en genre et en nombre avec le complément direct (*chemises*) si celui-ci le précède, comme c'est le cas ici.

5. Elles se sont **saisies** de leurs valises prestement.

   ▶ Le participe passé du verbe pronominal non réfléchi *se saisir de* s'accorde en genre et en nombre avec son sujet (*elles*).

6. Les croisiériste se sont **plu** dès le premier jour du voyage.

   ▶ Certains verbes pronominaux qui ne sont pas des verbes transitifs directs à la voix active (comme *plaire / se plaire*) sont invariables à la forme pronominale car ils sont accompagnés d'un pronom qui n'est pas un complément direct, mais un complément indirect.

7. Les droits que le président s'est **arrogés** frisent l'indécence.

   ▶ Le participe passé des verbes essentiellement pronominaux (qui n'existent qu'à la forme pronominale) s'accorde avec le sujet. Le verbe essentiellement pronominal *s'arroger* fait exception, car il est le seul qui soit transitif direct. Il s'accorde avec le complément direct (*droits*) qui précède le verbe, comme c'est le cas ici.

8. Les accusés se sont **abstenus** du moindre commentaire.

   ▶ Le participe passé des verbes essentiellement pronominaux (qui n'existent qu'à la forme pronominale) s'accorde avec le sujet (*accusés*).

9. Les deux sœurs ont signé l'accord après s'être **souri**.

   ▶ Certains verbes pronominaux qui ne sont pas des verbes transitifs directs à la voix active (comme *sourire / se sourire*) sont invariables à la forme pronominale car ils sont accompagnés d'un pronom qui n'est pas un complément direct, mais un complément indirect.

10. Ces nouveaux logiciels se sont **écoulés** en un temps record.

    ▶ Le participe passé des verbes pronominaux de sens passif s'accorde avec le sujet (*logiciels*).

E X E R C I C E **16** **CORRIGÉ**

1. L'assistance s'interroge sur l'**inculture** du conférencier.
2. Cette vedette de la chanson est d'une **muflerie** stupéfiante.
3. La **gaucherie** de ce cascadeur est bien connue.
4. Il s'attend à un **refus** sous peu.
5. On raconte qu'il a agi par **lâcheté**.
6. La **corruption** des avocats a été soulignée.
7. Ceux qui le connaissent mal le trouvent **communicatif**.
8. Le restaurateur nous a servi un mets **insipide**.
9. À son retour de vacances, il a constaté la **vigueur** de son jardin.
10. Chez ce couple, c'est la **franchise** qui règne depuis le début.

1. Des cerises, j'en ai trop **mangé**.
   ▶ Le participe passé qui a pour complément direct le pronom *en* reste invariable.

2. Elle a **fait** livrer une pizza au bureau.
   ▶ Le participe passé du verbe *faire* suivi d'un infinitif est invariable.

3. Son attitude lui a **valu** de francs succès.
   ▶ Le participe passé employé avec l'auxiliaire *avoir* s'accorde avec le complément direct (*succès*) s'il est placé avant le verbe, ce qui n'est pas le cas ici.

4. Ces vidéos, les avez-vous **regardées** ?
   ▶ Le participe passé employé avec l'auxiliaire *avoir* s'accorde avec le complément direct (*les*, mis pour *vidéos*) s'il est placé avant le verbe, comme c'est le cas ici.

5. Combien de kilomètres as-tu **couru** aujourd'hui ?
   ▶ Quand il est employé intransitivement, le verbe *courir* est invariable, comme ici (on court pendant des kilomètres). Contrairement à l'emploi transitif : *les risques qu'elle a courus*.

6. **Épuisées**, elles le sont complètement !
   ▶ Le participe passé employé avec l'auxiliaire *être* s'accorde avec le sujet (*elles*).

7. C'est à 1000 $ qu'on a **évalué** les dégâts.
   ▶ Le participe passé employé avec l'auxiliaire *avoir* s'accorde avec le complément direct (*dégâts*) s'il précède le verbe, ce qui n'est pas le cas ici.

8. Beaucoup d'ennuis ont été **évités** grâce à ce traitement.
   ▶ Le participe passé employé avec l'auxiliaire *être* s'accorde avec le sujet ; l'accord se fait avec le complément (*ennuis*) de la locution de quantité (*beaucoup de*).

9. C'était très émouvant : aux rires ont **succédé** les larmes.
   ▶ N'ayant pas de complément direct, le participe passé *succédé* ne s'accorde pas.

10. Le secret qu'elle m'a **confié** est troublant.
    ▶ Le participe passé employé avec l'auxiliaire *avoir* s'accorde avec le complément direct (*secret*) s'il précède le verbe, ce qui est le cas ici.

1. Les Américains ont tourné une **nouvelle version** du film *Un éléphant, ça trompe énormément*.

2. Cette artiste est très **polyvalente** : elle danse, chante, et joue du piano.

3. J'ai vu la **bande-annonce** du dernier film de Falardeau.

4. L'humoriste a lancé des **piques** (des **pointes**) contre son concurrent pendant l'interview.

5. En proie au mal de gorge, la diva cherche un médicament miracle pour **soulager** la douleur.

6. Tous les mannequins convoqués feront partie du **défilé** de mode.

7. Le duettiste prépare-t-il un **spectacle solo** ?

8. L'**entrée** (ou le **prix d'entrée**) est réduite l'après-midi dans la plupart des cinémas.

9. C'est sa sœur qui a composé l'**indicatif musical** du populaire téléroman.

10. Ahmed **s'exerce au** (ou **répète son**) violon au moins une heure par semaine.

EXERCICE

19 | **CORRIGÉ**

1. Le train entrera en gare à 2 heures et **demie**, il a une **demi**-heure de retard.
   ▶ Lorsqu'il suit le mot, *demi* est un adjectif et s'accorde en genre seulement. Placé devant le mot auquel il se rapporte (*heure*), *demi* s'y joint par un trait d'union et reste invariable.

2. Elle est à **demi** surprise d'apprendre l'existence de sa **demi**-sœur.
   ▶ La locution adverbiale *à demi* est invariable et ne prend pas de trait d'union devant un adjectif. Placé devant le mot auquel il se rapporte (*sœur*), *demi* s'y joint par un trait d'union et reste invariable.

3. L'ingénieur teste des **semi**-produits.
   ▶ L'élément *semi-*, toujours invariable, se joint au nom ou à l'adjectif qu'il précède par un trait d'union.

4. Acheter un appartement de trois pièces et **demie**.
   ▶ Dans le cas de *et demi* qui suit un nom, l'adjectif *demi* s'accorde uniquement en genre avec le nom auquel il se rapporte (*pièces*).

5. Le sinistré avait de l'eau jusqu'à **mi**-jambe.
   ▶ L'élément *mi-*, toujours invariable, se joint au nom ou à l'adjectif qu'il précède par un trait d'union.

6. Il sera bientôt minuit et **demi**.
   ▶ Dans le cas de *et demi* qui suit un nom, l'adjectif *demi* s'accorde uniquement en genre avec le nom auquel il se rapporte (*minuit*).

7. Les réserves de carburant sont à **demi** vides.
   ▶ La locution adverbiale *à demi* est invariable et ne prend pas de trait d'union devant un adjectif.

8. Une **demi**-douzaine d'œufs et une **demi**-bouteille de vin.
   ▶ Placé devant le mot auquel il se rapporte (*douzaine, bouteille*), *demi* s'y joint par un trait d'union et reste invariable.

9. Nous nous comprenons à **demi**-mot.
   ▶ La locution adverbiale *à demi* est invariable et prend un trait d'union devant un nom (*mot*).

10. L'avocat ne se contentera pas de **semi**-vérités.
    ▶ L'élément *semi-*, toujours invariable, se joint au nom ou à l'adjectif qu'il précède par un trait d'union.

1. Voici l'équipe **que** j'ai embauchée.
   ▶ Le pronom relatif *que* relie une phrase subordonnée relative à un nom ou à un pronom (l'antécédent), complément direct du verbe.

2. C'est le sujet **dont** je veux vous parler.
   ▶ Le pronom relatif *dont* s'emploie avec un antécédent complément indirect du verbe, complément du nom ou de l'adjectif introduit par *de, du, des*.

3. Voici ce **dont** j'ai besoin pour faire cette recette.
   ▶ Le pronom relatif *dont* s'emploie avec un antécédent complément indirect du verbe, complément du nom ou de l'adjectif introduit par *de, du, des*.

4. C'est la maison **que** mon père m'a laissée en héritage.
   ▶ Le pronom relatif *que* relie une phrase subordonnée relative à un nom ou à un pronom (l'antécédent), complément direct du verbe.

5. C'est de lui **que** je te parle.
   ▶ Si l'antécédent (*lui*) est précédé de la préposition *de*, on emploie le pronom relatif *que* dans la proposition relative et non pas *dont*.

6. C'est ce **dont** je me souviens.
   ▶ Le pronom relatif *dont* s'emploie avec un antécédent complément indirect du verbe, complément du nom ou de l'adjectif introduit par *de, du, des*.

7. Je n'aime pas la façon **dont** tu lui réponds.
   ▶ Le pronom relatif *dont* s'emploie avec un antécédent complément indirect du verbe, complément du nom ou de l'adjectif introduit par *de, du, des*.

8. Le film **que** je me rappelle avoir vu avec plaisir n'est plus à l'affiche.
   ▶ Le pronom relatif *que* relie une phrase subordonnée relative à un nom ou à un pronom (l'antécédent), complément direct du verbe.

9. Je vous remercie du prêt **que** vous m'avez consenti.
   ▶ Le pronom relatif *que* relie une phrase subordonnée relative à un nom ou à un pronom (l'antécédent), complément direct du verbe.

10. C'est de cet enfant **que** je suis le plus fier.
    ▶ Si l'antécédent (*enfant*) est précédé de la préposition *de*, on emploie le pronom relatif *que* dans la proposition relative et non pas *dont*.

1. Il est bien appétissant **ce** raisin, de même que **ce** cantaloup.
   ▶ *Raisin* : masculin singulier. *Cantaloup* : masculin singulier.

2. J'habite **cet** appartement depuis hier ; je parle de **ce** vieil appartement que tu as déjà visité.
   ▶ *Appartement* : masculin singulier.

3. L'élève a compris le problème grâce à **cet** exemple.
   ▶ *Exemple* : masculin singulier.

4. Pierre est **cet** enfant dont je t'ai parlé hier.

▶ *Enfant* : ici, masculin singulier.

5. **Ce** dictionnaire et **cette** encyclopédie sont vieillis ; en fait, **ces** ouvrages sont complètement démodés.

▶ *Dictionnaire* : masculin singulier. *Encyclopédie* : féminin singulier. *Ouvrages* : masculin pluriel.

6. Attention, il risque de t'assommer avec **cet** haltère !

▶ *Haltère* : masculin singulier.

7. Ne pas confondre **ce** termite et **cette** fourmi.

▶ *Termite* : masculin singulier. *Fourmi* : féminin singulier.

8. **Ce** hêtre est en bien mauvais état et **ce** chrysanthème est tout désséché.

▶ *Hêtre* : masculin singulier. On met *ce* (et non *cet*) devant *hêtre*, le *h* étant aspiré. *Chrysanthème* : masculin singulier.

9. **Ce** granule homéopathique soulagera la douleur.

▶ *Granule* : masculin singulier.

10. **Cette** enfant deviendra sans doute une patineuse artistique.

▶ *Enfant* : ici, féminin singulier.

CORRIGÉ

1. **Faux.** Les guillemets demandent un espacement après le guillemet ouvrant et avant le guillemet fermant.

2. **Faux.** Le petit signe en forme d'étoile qui sert à indiquer un appel de note ou un renvoi dans certains ouvrages techniques est un **astérisque**.

3. **Faux.** On se sert alors des guillemets en forme de petites virgules supérieures (" ") appelés guillemets anglais.

4. **Faux.** Le double signe graphique aux lignes verticales terminées à angles droits est le **crochet**.

5. **Faux.** Le nom du petit signe horizontal qui sert à lier les parties d'un mot composé est *trait d'union*. Le tiret, plus long, sert à mettre en relief un membre de phrase.

6. « Finalement, avoua-il, j'ai décidé de laisser tomber l'affaire. »

▶ Les phrases incises telles que *dit-il*, *répondit-elle* se mettent entre virgules, sans répétition de guillemets.

7. **Vrai.**

8. **Faux.** Dans le cas d'un mot mis en apostrophe, la virgule est obligatoire.

9. **Faux.**

▶ Ponctuée ainsi, la phrase signifie que j'ai un cousin et qu'il s'appelle Georges. Ponctuée de la façon suivante : « *Mon cousin Georges m'a téléphoné hier* », la phrase signifie : « j'ai plusieurs cousins et celui qui s'appelle Georges m'a téléphoné hier ».

10. « Je me demande s'il fera beau demain. »

▶ Cette phrase constitue une interrogation indirecte et se termine donc par un point, non par un point d'interrogation.

1. Est-ce toi qui **organiseras** la réunion?
    ▸ L'accord se fait avec l'antécédent du pronom *qui* (*toi*), à la 2ᵉ personne du singulier.

2. Il existe des moyens que **peut** utiliser le tribunal pour casser cette décision.
    ▸ L'accord du verbe *pouvoir* se fait avec son sujet (*tribunal*) au singulier.

3. ▸ L'accord est correct au pluriel.

4. ▸ L'accord est correct, le verbe se met au pluriel après l'expression *moins de deux*.

5. La moitié des diplômés de ce programme **cherche** encore un emploi.
    ▸ L'accord est correct. Si le sujet du verbe est un collectif précédé du déterminant défini (*le, la*) et s'il est suivi d'un complément au pluriel, le verbe se met généralement au singulier.

6. Beaucoup de monde se **présente** en retard à la clinique.
    ▸ Avec *beaucoup* suivi d'un nom singulier, le verbe est au singulier.

7. Des contraventions ont été données, comme l'**exigent** le règlement et la loi.
    ▸ Le verbe *exiger* s'accorde au pluriel avec les sujet *règlement* et *loi*.

8. Claude et moi **sommes** responsables de ce retard.
    ▸ Avec deux sujets de personnes différentes (*Claude* [3ᵉ pers.] et *moi* [1ʳᵉ pers.]), la 1ʳᵉ pers. prévaut sur la 3ᵉ, et l'accord se fait à la 1ʳᵉ pers. du pluriel. On pourrait d'ailleurs remplacer les sujets *Claude* et *moi* par *nous*.

9. Le succès ou l'échec de son film **dépend** (ou **dépendent**) de nombreux critères.
    ▸ On peut accorder le verbe au pluriel ou au singulier, mais l'accord au singulier est plus logique. En effet, ce sera ou un échec ou un succès.

10. Plus d'un stylo **est** défectueux.
    ▸ Avec l'expression *plus d'un*, le verbe se met au singulier.

1. Le nouveau **style** (ou **la nouvelle allure**) de Sylvia la rajeunit de dix ans.

2. Ma ceinture est un peu **lâche** depuis que j'ai maigri.

3. Les bretelles de **son soutien-gorge** glissent sur ses bras.

4. Je préfère la robe à l'imprimé **cachemire** à celle qui a des carreaux.

5. Elle a acheté un **collant** bleu pour faire sa gymnastique.

6. Son imperméable bon marché n'est pas vraiment **imperméable**.

7. Dans sa valise, Georges a ajouté un **survêtement**.

8. Ce chandail est trop petit, est-ce que vous l'avez **en grande taille**?

9. Charlot préfère porter un **nœud papillon** au lieu d'une cravate.

10. C'est une soirée d'apparat, on exige le port du **smoking**.

1. L'histoire que l'écrivain a **racontée** provient d'un fait vécu.

   ▶ Le participe passé employé avec l'auxiliaire *avoir* s'accorde en genre et en nombre avec son complément direct (*que* mis pour *histoire*) s'il précède le verbe, comme c'est le cas ici.

2. Ce sont les documents que vous avez **consultés** hier.

   ▶ Le participe passé employé avec l'auxiliaire *avoir* s'accorde en genre et en nombre avec son complément direct (*que* mis pour *documents*) s'il précède le verbe, comme c'est le cas ici.

3. D'après les bruits qui ont **couru**, le contrat ne sera pas reconduit.

   ▶ Le participe passé employé avec l'auxiliaire *avoir* s'accorde avec le complément direct. En l'absence de complément direct, il n'y a pas d'accord, comme ici.

4. Cette fillette a **disparu** depuis 24 heures.

   ▶ Le participe passé employé avec l'auxiliaire *avoir* s'accorde avec le complément direct. En l'absence de complément direct, il n'y a pas d'accord, comme ici.

5. Seuls ceux qui ont **combattu** selon les règles ont été récompensés.

   ▶ Le participe passé employé avec l'auxiliaire *avoir* s'accorde avec le complément direct. En l'absence de complément direct, il n'y a pas d'accord, comme ici.

6. La neige a **cessé**, allons déblayer l'entrée !

   ▶ Le participe passé employé avec l'auxiliaire *avoir* s'accorde avec le complément direct. En l'absence de complément direct, il n'y a pas d'accord, comme ici.

7. Sa nervosité l'ayant **trahi**, l'animateur a mis fin à la rencontre.

   ▶ Le participe passé employé avec l'auxiliaire *avoir* s'accorde en genre et en nombre avec son complément direct (*l'* mis pour *animateur*) s'il précède le verbe, comme c'est le cas ici.

8. Lesquelles de ces pilules avez-vous **avalées** ?

   ▶ Le participe passé employé avec l'auxiliaire *avoir* s'accorde en genre et en nombre avec son complément direct (*lesquelles de ces pilules*) s'il précède le verbe, comme c'est le cas ici.

9. Combien avez-vous **perdu** de points cette année ?

   ▶ Le participe passé employé avec l'auxiliaire *avoir* s'accorde avec le complément direct (l'accord se fait avec le complément de l'adverbe de quantité *combien*, ici *points*) s'il est placé avant le verbe, ce qui n'est pas le cas ici.

10. Il est nostalgique des six mois qu'il a **vécu** en Polynésie.

    ▶ Le participe passé employé avec l'auxiliaire *avoir* s'accorde avec le complément direct. Ici, le participe reste invariable puisqu'il n'y a pas de complément direct (*il a vécu pendant six mois*, et non *il a vécu six mois*).

1. Ce que tu m'as appris hier m'a **sidéré**.
2. Elle s'est moquée du **clou** qu'il a sur le bout du nez, quelle **bévue** !
3. C'est un pickpocket qui a **chapardé** son **amulette** en forme de patte d'ours.
4. Elle est au **zénith** de sa gloire, elle qui n'avait connu jusque-là que des **insuccès**.
5. Entends-tu les **gargouillements** du bébé ?
6. Il habitait un joli appartement, dans un **cul-de-sac**.
7. C'est un tel **embrouillamini** que je préfère **escamoter** le sujet.
8. Ce **désagréable** incident est le résultat de son **apathie** habituelle.
9. Il s'est laissé **duper** par le récit **imaginaire** de cet auteur.
10. Ses **bavardages embêtaient** les autres invités.

1. Des arpèges **harmonieux** semblaient sortir du clavier.
   ▶ Accord de l'adjectif *harmonieux* avec *arpèges*, au masculin pluriel.
2. Ce sont quatre octaves que **couvre** la voix de Céline.
   ▶ Accord du verbe *couvrir* avec son sujet (*voix*), au singulier.
3. Elles sont très éprouvantes pour les oreilles, ces gammes ascendantes que **fait** l'élève pendant des heures.
   ▶ Accord du verbe *faire* avec son sujet (*élève*) au singulier.
4. Les gammes de l'élève ont enfin **cessé**.
   ▶ Le participe passé employé avec l'auxiliaire *avoir* s'accorde avec le complément direct. En l'absence de complément direct, il n'y a pas d'accord, comme ici.
5. Les trilles de la soprano étaient **assourdis** par les accords du piano.
   ▶ Le participe passé employé avec l'auxiliaire *être* s'accorde avec le sujet du verbe (*trilles*, au masculin pluriel).
6. Êtes-vous de ces personnes infatigables qui **peuvent** danser pendant des heures ?
   ▶ L'accord se fait avec l'antécédent de *qui* (*personnes*, au pluriel).
7. Josette est trompette dans deux quintettes **situés** à Laval.
   ▶ L'accord d'un participe passé employé seul se fait avec le nom auquel il se rapporte (*quintettes*, au masculin pluriel).
8. La violoniste a-t-elle **salué** le chef d'orchestre ?
   ▶ Le participe passé employé avec l'auxiliaire *avoir* se fait avec le complément direct (*chef d'orchestre*) s'il est placé avant, ce qui n'est pas le cas ici.
9. Dolores fait **claquer** ses castagnettes et Joseph **joue** de la cuillère : c'est le multiculturalisme en musique !
   ▶ Dans cette construction, *faire* est un semi-auxiliaire suivi d'un verbe à l'infinitif. Le verbe *jouer* s'accorde avec son sujet (*Joseph*, au singulier).
10. Il chante de façon saccadée, comme le **font** les rappeurs.
    ▶ Le verbe *faire* s'accorde avec son sujet (*rappeurs*, au pluriel).

CORRIGÉ

1. **Faux**. Cette formule se nomme *appel*.

2. **Faux**. Sur une enveloppe, les lignes comportant le nom et l'adresse du destinataire n'ont aucune ponctuation finale.

3. **Vrai**.

4. **Vrai**.

5. **Vrai**.

6. **Faux**. Les noms de peuples prennent la majusucule (*les Québécois*), contrairement aux adjectifs (*la chanson québécoise*).

7. **Vrai**.

8. **Vrai**.

9. **Vrai** et **faux**. Dans un texte manuscrit, le soulignement est accepté.

10. Les lettres CCI signifient «copie conforme invisible».

CORRIGÉ

1. Ses **quatre** frères l'ont accompagné à la remise des prix **annuelle**.
   ▶ L'adjectif ou déterminant numéral *quatre* est invariable. L'adjectif *annuel* s'accorde avec *remise*, au féminin singulier.

2. Deux sauces **aigres-douces** rehaussaient le mets **apprêté**.
   ▶ L'adjectif *aigre-doux* s'accorde avec *sauces*, au féminin pluriel. L'adjectif *apprêté* est bien accordé avec *mets*, au masculin singulier.

3. On a trouvé les deux évadées **ivres-mortes** à la sortie du bar.
   ▶ L'adjectif *ivre-mort* s'accorde avec *évadées*, au féminin pluriel.

4. Les moines se contentent habituellement de repas **frugaux**.
   ▶ L'adjectif *frugal* fait *frugaux* au pluriel.

5. Nous avons deux choix **possibles** : soit nous visiterons le village et la campagne **environnante**, soit nous irons au concert.
   ▶ L'adjectif *possible* s'accorde avec *choix*, au masculin pluriel. L'adjectif *environnant* s'accorde avec *campagne*, au féminin singulier.

6. Les **mille** anecdotes **hilarantes** du conteur ont bien fait rire l'assistance.
   ▶ L'adjectif ou déterminant numéral *mille* est toujours invariable; l'adjectif *hilarant* s'accorde avec *anecdotes*, au féminin pluriel.

7. Ce comédien est des plus **brillants**; c'est de notoriété **publique**.
   ▶ L'adjectif ou le participe qui suit *des plus* se met au pluriel et s'accorde en genre avec le nom auquel il se rapporte (*comédien*). L'adjectif *public* s'accorde avec *notoriété*, au féminin singulier.

8. Nous avons consulté une agence de voyages **compétente** pour éviter le plus de désagréments **possible**.
   ▶ L'adjectif *compétent* s'accorde avec *agence*, au féminin singulier. Après *le plus*, l'adjectif *possible* est invariable (*le plus de désagréments qu'il est possible d'éviter*).

9. Elle était **nu-pieds** et lui portait une paire de chaussettes **noires**.
   ▶ Quand il précède le nom, *nu* est invariable et se joint au nom par un trait d'union. L'adjectif *noir* s'accorde avec *chaussettes*, au féminin pluriel.

10. Jouer ce concerto est des plus **facile**.
    ▶ Si le sujet est un infinitif, l'adjectif reste invariable (*jouer est une chose facile*).

1. Voudrais-tu me **la** prêter?
   ▶ C'est le pronom *la* (féminin singulier) qui représente *cette veste*.

2. **Ils** sont venus hier.
   ▶ C'est le pronom *ils* (masculin pluriel) qui représente *Paul et Marie*.

3. Je **lui** ai fait une promesse.
   ▶ C'est le pronom *lui* (masculin singulier) qui représente *à l'enfant*.

4. L'agent **leur** a remis le formulaire.
   ▶ C'est le pronom *leur* (féminin pluriel) qui représente *aux autorités*.

5. Prends-**en** bien soin.
   ▶ C'est le pronom *en* (masculin singulier) qui représente *de lui*. Dans l'inversion, le pronom se joint au verbe par un trait d'union.

6. C'est à **eux** que j'ai parlé d'abord.
   ▶ C'est le pronom *eux* (masculin pluriel) qui représente *à Pierre et à Anne*.

7. **Lui** as-tu téléphoné?
   ▶ C'est le pronom *lui* (féminin singulier) qui représente *à Simone*.

8. Les employés **lui** ont dit leur insatisfaction.
   ▶ C'est le pronom *lui* (masculin singulier) qui représente *au syndicat*.

9. Je m'**y** habitue.
   ▶ C'est le pronom *y* (masculin singulier) qui représente *à sa présence*.

10. Parle-**leur** dès ce soir, je t'en prie.
    ▶ C'est le pronom *leur* (masculin pluriel) qui représente *à mes amis*.

1. Les **tout** derniers jours des vacances rendent parfois nostalgiques.
   ▶ Devant un adjectif, *tout* est adverbe, et donc invariable.

2. La fillette était **tout** en larmes, au grand désarroi de la gardienne.
   ▶ Au sens de « entièrement », *tout* est adverbe, et donc invariable.

3. **Tout** autour de la maison, le jardin était fleuri.
   ▶ Devant un adverbe, *tout* est adverbe, et donc invariable.

4. La diva essayait de retenir ses larmes **tout** en chantant.
   ▶ Devant un gérondif (*en* + participe présent), *tout* est adverbe, et donc invariable.

5. Ils s'en donnent **tous** à cœur joie.
   ▸ Ici, *tous* est un pronom qui prend le genre et le nombre du pronom qu'il représente (*ils*), au masculin pluriel. Dans cet emploi, le *s* de *tous* est sonore (contrairement à l'emploi comme déterminant : *tous les enfants*).

6. Le gamin était **tout** yeux **tout** oreilles : il n'en revenait pas de **tous** ces cadeaux !
   ▸ Dans l'expression *tout yeux tout oreilles*, *tout* est invariable. Comme déterminant démonstratif, *tout* s'accorde avec le nom qu'il détermine (*cadeaux*).

7. Ces lots forment deux **touts** intéressants à gagner.
   ▸ *Tout* est ici un nom, dont la forme plurielle est *touts*.

8. L'heureux gagnant répétait sa chance à **tout** venant (ou à **tous venants**).

9. Elles sont **toutes** ravies et **tout** hébétées de cet honneur
   ▸ Devant un adjectif féminin commençant par une consonne (*ravies*), *tout* est adverbe mais variable, pour des raisons d'euphonie. Devant un adjectif féminin commençant par un *h* muet (*hébétées*), *tout* est adverbe et invariable.

10. Sur le formulaire, on demande d'écrire les nombres en **toutes** lettres.
    ▸ Lorsqu'il est déterminant défini, *tout* s'accorde en genre et en nombre avec le nom qu'il détermine (*lettres*, au féminin pluriel).

EXERCICE | **32** | **CORRIGÉ**

1. Ventre affamé **n'a pas d'oreille**.
2. **L'argent** ne fait pas le bonheur.
3. Il n'y a pas de fumée sans **feu**.
4. Fais ce que dois, advienne que **pourra**.
5. Mieux vaut tard que **jamais**.
6. Qui paie ses dettes **s'enrichit**.
7. Petit à petit l'oiseau fait son **nid**.
8. À tout **péché** miséricorde.
9. La vengeance est un **plat** qui se mange froid.
10. Chassez le naturel et il revient **au galop**.

EXERCICE | **33** | **CORRIGÉ**

1. Le personnel **navigant** a été réuni sur le pont.
   ▸ *Navigant* est un adjectif participe qui s'accorde en genre et en nombre avec le nom qu'il complète (*personnel*).

2. C'est en **vaquant** à ses occupations qu'il a trouvé ce terrain **vacant**.
   ▸ Dans *c'est en vaquant*, celui-ci est un participe présent, toujours invariable. Dans *ce terrain vacant*, *vacant* est un adjectif participe qui s'accorde en genre et en nombre avec le nom qu'il complète (*terrain*).

3. Les rendements **équivalant** à ceux de l'an dernier, nous sommes satisfaits.

▸ Il s'agit du participe présent, toujours invariable.

4. Les personnes **adhérant** cette semaine recevront une prime.

▸ Il s'agit du participe présent, toujours invariable.

5. Voici les documents **afférents** à cette affaire.

▸ *Afférents* est un adjectif qui s'accorde avec le nom qu'il complète (*documents*). À noter qu'il n'y a pas de participe présent ni d'adjectif participe puisqu'il n'y a pas de verbe « afférer ».

6. En **provoquant** son auditoire, l'humoriste s'est attiré une riposte **provocante** de la part de journalistes.

▸ Dans *en provoquant son auditoire*, *provoquant* est un participe présent, toujours invariable. Dans *une riposte provocante*, ce dernier mot est un adjectif participe qui s'accorde en genre et en nombre avec le nom qu'il complète (*riposte*).

7. Un organisme humanitaire s'occupera des bébés **naissant** dans ce camp.

▸ Il s'agit du participe présent, toujours invariable.

8. Dans le roman, une femme **intrigante** fait son apparition, **intriguant** le lecteur.

▸ Dans *une femme intrigante*, ce dernier mot est un adjectif participe qui s'accorde en genre et en nombre avec le nom qu'il complète (*femme*). Dans *intriguant le lecteur*, il s'agit du participe présent, toujours invariable.

9. Les avis **divergeant** sur cette nouvelle tablette électronique, son achat est reporté.

▸ Il s'agit du participe présent, toujours invariable.

10. Les vacanciers, **prévoyant** du mauvais temps, ont changé de destination.

▸ Il s'agit du participe présent, toujours invariable.

EXERCICE **34** CORRIGÉ

1. La citation est de **Destouches**, auteur dramatique français, 1680-1754.

2. La citation est de **Nicolas Boileau**, écrivain français, 1636-1711.

3. La citation est de **Jean-Paul Sartre**, philosophe et écrivain français, 1905-1980.

4. La citation est d'**André Gide**, écrivain français, 1869-1951.

5. La citation est de **William Shakespeare**, poète dramatique anglais, 1564-1616.

6. La citation est de **Blaise Pascal**, philosophe français, 1623-1662.

7. La citation est de **François Rabelais**, écrivain français, 1483-1553.

8. La citation est de **Nicolas Boileau**, écrivain français, 1636-1711.

9. La citation est de **Paul Verlaine**, poète français, 1844-1896.

10. La citation est de **Simone de Beauvoir**, écrivaine française, 1908-1986.

1. Le couple, selon ce que j'en sais, **partira** en vacances en Gaspésie.
   ▶ Le verbe *partir* s'accorde avec son sujet (*couple*), au singulier.

2. Cet ouvrage fait de nous des humains qui **comprennent** mieux autrui.
   ▶ Le verbe *comprendre* s'accorde avec son sujet (*qui*, mis pour *humains*) et non avec *nous*.

3. Ils sont tous d'accord pour rester au travail cette nuit, même si la plupart **travaillent** déjà depuis des heures.
   ▶ Le verbe *travailler* s'accorde avec son sujet (*la plupart*), au pluriel.

4. Après la fête, tout le monde **est reparti** vers le métro.
   ▶ Le verbe *repartir* s'accorde avec son sujet (*tout le monde*), au singulier.

5. Il faut que toi et moi **partions** avant 8 heures.
   ▶ Avec plusieurs pronoms personnels de personnes différentes, le verbe se met au pluriel et s'accorde avec la personne qui a la priorité ; ici la première personne (*moi*) l'emporte sur la deuxième (*toi*). On pourrait dire : *Il faut que* (*toi et moi*) *nous partions avant 8 heures.*

6. Vous êtes de ceux qui **aident** les gens dans le besoin.
   ▶ L'accord se fait avec *ceux*, et non avec *vous*.

7. L'un et l'autre **chante** (ou **chantent**) bien.
   ▶ Avec *l'un et l'autre*, le verbe se met au singulier ou au pluriel.

8. Peu **importent** (ou **importe**) les ennuis financiers, vivons heureux !
   ▶ Dans cette locution, le verbe peut s'accorder ou non.

9. La plupart d'entre nous **sont** invités.
   ▶ L'accord se fait avec *la plupart*, non avec *nous*.

10. Peu de peintres **gagnent** leur vie avec leur art.
   ▶ Après la locution *peu de*, le verbe s'accorde avec le complément (*peintres*), donc au pluriel.

1. L'**assiette de viande froide** était composée de jambon, de chorizo, etc.

2. Ce restaurant offre un **comptoir** à salades.

3. Tout au long de la fête, c'est Liette qui est chargée de servir les **boissons**.

4. La consommation de **boissons gazeuses** est très élevée en Amérique.

5. Mon père sait bien apprêter les filets d'**églefin**.
   ▶ On écrit aussi *aiglefin*.

6. La cuisine créole fait grand usage de la patate **douce**.

7. Je prendrai une **darne** de saumon avec des petits légumes.

8. Au retour de l'école, Martine prend une collation de fromage, pomme et **cajous**.

9. Un soupçon de **cassonade** adoucit la vinaigrette.

10. Marguerite a rempli son garde-manger de **conserves**.

1. Ce sont 15 000 morts que le tsunami a **faits** au Japon en mars 2011.
   ▶ Le participe passé employé avec l'auxiliaire *avoir* s'accorde avec le complément direct du verbe (*15 000 morts*) s'il précède le verbe, comme c'est le cas ici.

2. Les enfants que j'ai **vus** glisser m'ont salué de la main.
   ▶ Le participe passé employé avec l'auxiliaire *avoir* et suivi d'un infinitif s'accorde avec le complément direct (*enfants*) s'il précède le verbe et est sujet de l'infinitif (*glisser*).

3. Nous avons bien **ri** de ses blagues.
   ▶ Le participe passé employé avec l'auxiliaire *avoir* s'accorde en genre et en nombre avec le complément direct du verbe s'il le précède. Les verbes intransitifs, comme *rire*, n'ayant pas de complément direct, il n'y a donc pas d'accord.

4. C'est à toute vitesse que les policiers ont **accouru** vers les lieux de l'accident.
   ▶ Le participe passé employé avec l'auxiliaire *avoir* s'accorde en genre et en nombre avec le complément direct du verbe s'il précède celui-ci. Les verbes intransitifs, comme *accourir*, n'ayant pas de complément direct, il n'y a donc pas d'accord.

5. J'ai acheté six pommes hier et j'en ai **mangé** deux ce matin.
   ▶ Le participe passé employé avec l'auxiliaire *avoir* qui a pour complément direct le pronom *en* est invariable.

6. C'est 100 mètres qu'elle a **couru**, et non 80.
   ▶ Le participe passé employé avec l'auxiliaire *avoir* s'accorde en genre et en nombre avec le complément direct du verbe s'il précède celui-ci. Ici, il n'y a pas de complément direct (elle a couru pendant 100 mètres, et non « elle a couru 100 mètres »).

7. La sieste que les enfants ont **faite** a été bénéfique.
   ▶ Le participe passé employé avec l'auxiliaire *avoir* s'accorde en genre et en nombre avec le complément direct du verbe (*sieste*) s'il précède celui-ci, ce qui est le cas ici.

8. Elle est plus généreuse que je ne l'avais **cru**.
   ▶ Le participe passé employé avec l'auxiliaire *avoir* qui a pour complément direct le pronom neutre *le* (ou sa forme élidée *l'*) reste invariable.

9. De nombreux souvenirs ont **disparu** en un instant dans le naufrage.
   ▶ Le participe passé employé avec l'auxiliaire *avoir* s'accorde avec le complément direct du verbe. Les verbes intransitifs, comme *disparaître*, n'ayant pas de complément direct, l'accord ne se fait pas.

10. L'avocate a **exclu** l'hypothèse de l'accident.
    ▶ Le participe passé employé avec l'auxiliaire *avoir* s'accorde avec le complément direct du verbe (*hypothèse*) s'il précède celui-ci, ce qui n'est pas le cas ici, il n'y a donc pas d'accord.

CORRIGÉ

1. Le nom du médicament est illisible, ce médecin écrit comme **un chat**.
2. Mon voisin est plutôt bizarre, on peut dire que c'est un drôle **de zèbre**.
3. Dès que la saison froide commence, je dors comme **un loir**.
4. Il mange de tout sans problème, il a un vrai estomac **d'autruche**.
5. Méfie-toi, il est jaloux comme **un tigre**.
6. Paresseux, il passe ses journées à peigner **la girafe**.
7. C'est un vrai homme à tout faire, il est adroit comme **un singe**.
8. Elle est bavarde comme **une pie**, c'est difficile à supporter.
9. Son comportement a mis **la puce** à l'oreille de l'enquêteur.
10. Après avoir réalisé sa bévue, l'enfant s'est mis à pleurer comme **un veau**.

CORRIGÉ

1. Sinistrés et sauveteurs se sont **entraidés**.
   ▶ Le participe passé de ce verbe, qui n'existe qu'à la forme pronominale, s'accorde toujours en genre et en nombre avec son sujet (*sinistrés* et *sauveteurs*).
2. Elle s'est **permis** de prélever une plus grosse part du gâteau.
   ▶ À la forme pronominale, le participe passé de ce verbe s'accorde avec le complément direct (*de prélever une plus grosse part du gâteau*) si celui-ci le précède, ce qui n'est pas le cas ici; il n'y a donc pas d'accord.
3. Susceptible, elle s'est **persuadée** que tout le monde la déteste.
   ▶ À la forme pronominale, le participe passé de ce verbe s'accorde en genre et en nombre avec son sujet (*s'*, mis pour *elle*). Selon certains auteurs, l'accord est facultatif.
4. Marie s'est **absentée** sans autorisation.
   ▶ Le participe passé de ce verbe, qui n'existe qu'à la forme pronominale, s'accorde toujours en genre et en nombre avec son sujet (*Marie*).
5. Elles se sont **rendu** compte de leur erreur.
   ▶ Dans cette locution, le participe est toujours invariable.
6. Les athlètes se sont **donné** un défi.
   ▶ À la forme pronominale, le participe passé de ce verbe s'accorde en genre et en nombre avec le complément direct (*un défi*) si celui-ci le précède, ce qui n'est pas le cas ici; il n'y a donc pas d'accord.
7. Les poules se sont **échappées** de l'enclos.
   ▶ À la forme pronominale, le participe passé de ce verbe s'accorde en genre et en nombre avec son sujet (*poules*).
8. Finalement, ils se sont **nui**, eux qui croyaient se venir en aide.
   ▶ À la forme pronominale, le participe passé de ce verbe est toujours invariable.

9. Des signes d'encouragement, ils s'en sont **donné**.

   ▸ À la forme pronominale, ce verbe s'accorde avec le complément direct si celui-ci précède le verbe. Avec le pronom neutre *en*, le participe est invariable.

10. Vous vous êtes toujours **soutenus** dans les épreuves.

   ▸ À la forme pronominale, le participe passé de ce verbe s'accorde toujours en genre et en nombre avec son sujet (*vous*).

EXERCICE **40** C O R R I G É

1. Vrai.

2. Vrai.

3. Vrai.

4. Les habitants du Nouveau-Brunswick sont des **Néo-Brunswickois**, des **Néo-Brunswickoises**.

5. Oui.

6. Non. Elle aurait dû se lire *Jorge est un néo-Québécois*.

7. Faux. *Une tradition inuite, un Inuit, une Inuite.*

8. Oui. On écrit *les Canadiens anglais*, mais *un récit canadien-anglais* (avec trait d'union).

9.
GENTILÉS	NOM DU PAYS
un Danois/une Danoise	Danemark
un Nigérien/une Nigérienne	Niger
un Péruvien/une Péruvienne	Pérou
un Saoudien/une Saoudienne	Arabie saoudite
un Vénézuélien/une Vénézuélienne	Venezuela

10.
NOM DU PAYS	GENTILÉS
Guatemala	un Guatémaltèque/une Guatémaltèque
Madagascar	un Malgache/une Malgache
Monaco	un Monégasque/une Monégasque
Nigéria	un Nigérian/une Nigériane
Turquie	un Turc/une Turque

1. Un **tel** bonheur, est-ce possible ?
   ▶ Le déterminant s'accorde avec le nom auquel il se rapporte.

2. Ces exigences sont obligatoires, considérez-les donc comme **telles**.
   ▶ Le déterminant s'accorde avec le nom auquel il se rapporte.

3. Il a protesté avec un **tel** aplomb que tout le monde l'a cru.
   ▶ Le déterminant s'accorde avec le nom auquel il se rapporte.

4. C'est comme ça : **tel** accepte la situation, **tel** la rejette.
   ▶ Comme pronom, *tel* est toujours masculin singulier.

5. **Tel** qui rit vendredi dimanche pleurera, dit le proverbe.
   ▶ Comme pronom, *tel* est toujours masculin singulier.

6. J'adore les pâtisseries **telles** que les macarons et les choux à la crème.
   ▶ Lorsque *tel que* introduit une énumération, *tel* s'accorde avec le nom qui précède.

7. **Comme** promis, la loi a été modifiée.
   ▶ Attention, quand *tel que* fait référence à une proposition (*promis*) et non à un nom ou à un pronom, son emploi est à éviter. On dira alors plutôt, par exemple, *comme* ou *ainsi que*.

8. Elle adore les roses, **telles** celles qu'elle a reçues hier.
   ▶ Dans une comparaison, *tel* s'accorde avec le nom auquel il se rapporte.

9. **Telles** des perles, les gouttes de rosée enjolivent le jardin.
   ▶ Dans une comparaison, *tel* s'accorde avec le nom auquel il se rapporte.

10. Je les croyais abîmées par l'inondation, mais j'ai heureusement retrouvé mes photos **telles** quelles.
    ▶ *Tel* fait ici partie de la locution *tel quel*. Les deux éléments s'accordent avec le nom auquel ils se rapportent.

1. Vrai.

2. Faux. La première syllabe du nom *chiendent* se prononce effectivement comme *chien*, mais la première syllabe du nom *chienlit* se prononce comme *chiant*.

3. Vrai.

4. Faux. Le nom *pied-à-terre* est invariable (la prononciation est la même au singulier et au pluriel).

5. Vrai.

6. Faux. Les lettres *œ* du nom *œnologie* se prononcent « é ».

7. Vrai.

8. Faux. Le nom *varech* rime avec le mot *sec*.

9. Vrai.

10. Vrai.

1. **Excepté** les nouveaux arrivants, tous les autres devront présenter leurs papiers.
   ▶ En tête de phrase, *excepté*, employé comme préposition, reste invariable.

2. As-tu aimé la bonne tarte que j'ai **faite** ?
   ▶ Le participe passé employé avec l'auxiliaire *avoir* s'accorde en genre et en nombre avec le complément direct (*tarte*) si celui-ci précède le verbe, comme c'est le cas ici.

3. Je les ai **attendues** longtemps, ces excuses.
   ▶ Le participe passé employé avec l'auxiliaire *avoir* s'accorde en genre et en nombre avec le complément direct (*les*, mis pour *excuses*) si celui-ci précède le verbe, comme c'est le cas ici.

4. La récolte a été meilleure qu'on ne l'avait **souhaité**.
   ▶ Le participe passé employé avec l'auxiliaire *avoir* s'accorde en genre et en nombre avec son complément direct si celui-ci précède le verbe. Ici, le complément direct est le pronom neutre *l'* (forme élidée de *le*) qui signifie « cela », le participe reste donc invariable.

5. Des extraterrestres, personne n'en a beaucoup **vu**.
   ▶ Le participe passé employé avec l'auxiliaire *avoir* s'accorde en genre et en nombre avec le complément direct si celui-ci précède le verbe. Ici, le complément direct est le pronom neutre *en*, qui signifie « de cela », le participe reste donc invariable.

6. Les mauvaises nouvelles ont **plu** sur lui depuis le début de l'année.
   ▶ Le participe passé employé avec l'auxiliaire *avoir* s'accorde en genre et en nombre avec le complément direct si celui-ci précède le verbe. *Pleuvoir* étant intransitif, il ne peut avoir de complément direct, le participe passé reste donc invariable.

7. Elle souhaite oublier les mauvais souvenirs qu'elle a **gardés** de cette aventure.
   ▶ Le participe passé employé avec l'auxiliaire *avoir* s'accorde en genre et en nombre avec le complément direct (*souvenirs*) si celui-ci précède le verbe, comme c'est le cas ici.

8. Les lilas ont **fleuri** tôt cette année.
   ▶ Le participe passé employé avec l'auxiliaire *avoir* s'accorde en genre et en nombre avec le complément direct. *Fleurir* étant intransitif, il ne peut avoir de complément direct, le participe passé reste donc invariable.

9. Sa conversation est toujours **émaillée** d'anecdotes savoureuses.
   ▶ Le participe passé employé avec l'auxiliaire *être* s'accorde en genre et en nombre avec le sujet (*conversation*).

10. Ils ont déclenché une grève qu'on a **dite** spontanée.
   ▶ Le participe passé employé avec l'auxiliaire *avoir* s'accorde en genre et en nombre avec le complément direct (*grève*) si celui-ci précède le verbe, ce qui est le cas ici.

CORRIGÉ

1. Le lundi, toute la famille Tremblay joue aux **quilles**.
2. Stéphane est un **gardien de but** recherché.
3. Émilie travaille comme **maître nageuse** (ou **surveillante de piscine**, ou **surveillante de plage**) pendant l'été.
4. « Avez-vous bien **farté** vos skis ? », demande l'instructeur.
5. Jean a donné sa **planche à roulettes** à son jeune frère.
6. Marina s'est inscrite en **athlétisme**.
7. Le gymnaste, blessé, a dû interrompre ses **exercices**.
8. Un spectateur mécontent a déchiré le **filet**, interrompant la partie de badminton.
9. Éric a reçu un **abonnement** pour assister aux matchs de hockey.
10. Normand rêve de **motomarine** depuis l'arrivée du printemps.

CORRIGÉ

1. Comment s'appellent ces fleurs **jaunes** et celles-ci qui sont **incarnates** ?
   ▶ Les adjectifs de couleur simples comme *jaune* et *incarnat* s'accordent en genre et en nombre.
2. Des cernes **bistre** entouraient ses yeux.
   ▶ Les noms simples employés comme adjectifs pour désigner une couleur, comme *bistre*, sont invariables.
3. Ces agents de sécurité portent des uniformes **vert foncé**.
   ▶ Les adjectifs de couleur composés avec un autre adjectif, comme *vert foncé*, sont invariables.
4. Le tissu présente des cercles **mauves** et des rayures **ivoire**.
   ▶ Les adjectifs de couleur simples, comme *mauve*, s'accordent. Les noms simples employés comme adjectifs pour désigner une couleur, comme *ivoire*, sont invariables.
5. Acheter une layette **bleue** ? D'accord, mais alors une layette **bleu pâle**.
   ▶ Les adjectifs de couleur simples, comme *bleu*, s'accordent. Les adjectifs de couleur composés avec un autre adjectif, comme *bleu pâle*, sont invariables.
6. Des cheveux **acajou** seyent bien à son teint.
   ▶ Les noms simples employés comme adjectifs pour désigner une couleur, comme *acajou*, sont invariables.
7. Les murs sont **blanc cassé** et les armoires, **beiges**.
   ▶ Les adjectifs de couleur composés avec un autre adjectif, comme *blanc cassé*, sont invariables. Les adjectifs de couleur simples, comme *beige*, s'accordent.
8. Ses joues sont devenues **cramoisies** devant tant de compliments.
   ▶ Les adjectifs de couleur simples, comme *cramoisi*, s'accordent.

9. Des taches **marron** ont ruiné ses jupes **bleu marine**.

   ▶ Les noms simples employés comme adjectifs pour désigner une couleur, comme *marron*, sont invariables. Les adjectifs de couleur composés avec un nom, comme *bleu marine*, sont invariables.

10. Choisirez-vous les chaussettes **prune** ou les **roses** ?

    ▶ Les noms simples employés comme adjectifs pour désigner une couleur, comme *prune*, sont invariables. Les adjectifs de couleur simples, comme *rose*, s'accordent.

1. Au lendemain des fêtes, elle a l'habitude de servir des tisanes **digestives**.

   ▶ *Digestif* se dit d'un produit qui facilite la digestion ; est *digestible* ce qui peut être digéré facilement.

2. On surveille de près l'**inclinaison** de la célèbre tour de Pise.

   ▶ L'*inclinaison* est l'état de ce qui est incliné ; l'*inclination* est un synonyme de *penchant*.

3. Le voleur a fait **irruption** devant le caissier sans crier gare.

   ▶ Une *irruption* est une entrée soudaine ; une *éruption* est une sortie brutale (de boutons, par exemple).

4. Le bambin a **épanché** sa peine dans les bras de sa maman.

   ▶ *Épancher*, c'est se confier ; *étancher*, c'est apaiser (sa soif), rendre étanche, ou faire cesser l'écoulement (de sang, de larmes…).

5. Même s'il n'y est pour rien, il est **bourrelé** de remords depuis l'accident.

   ▶ L'expression est *bourrelé de remords* ; le verbe *bourrer* signifie « remplir complètement en tassant ».

6. Timidement, l'enfant **effleure** la barbe du vieillard.

   ▶ *Effleurer*, c'est toucher à peine ; *affleurer*, c'est apparaître à la surface.

7. Acheter cet immeuble dans la **conjoncture** actuelle me semble risqué.

   ▶ La *conjoncture* est une situation d'ensemble ; une *conjecture* est une hypothèse.

8. Aussitôt votre bulletin d'**adhésion** rempli, vous recevrez notre prime.

   ▶ L'*adhésion* est l'acte de s'inscrire (à un groupe, une association…) ; l'*adhérence*, c'est l'état d'un objet qui tient fortement à un autre.

9. Le mystère de sa naissance a enfin été **élucidé**.

   ▶ *Élucider*, c'est rendre clair, compréhensible ; *éluder*, c'est éviter.

10. Installons le hamac dans l'espace **ombragé** sous ces arbres.

    ▶ *Ombragé* se dit d'un endroit couvert d'ombre ; *ombrageux* se dit d'un caractère méfiant, susceptible.

1. Les étudiants doivent lire d'abord **tous** les exemples.

▸ Au sens de « sans exception », *tout* est un déterminant indéfini qui s'accorde avec le nom qu'il détermine (*exemples*, au masculin pluriel).

2. Dans son discours, le maire nous a servi **toute** une panoplie d'arguments fallacieux.

▸ Au sens de « véritable », *tout* est un déterminant défini qui s'accorde avec le nom qu'il détermine (*panoplie*, au féminin singulier).

3. Ces deux bagues m'intéressent, alors c'est **tout** ou rien, je prends les deux.

▸ Pronom indéfini neutre qui reste invariable.

4. **Tous** ensemble, nous réussirons.

▸ *Tous*, pronom, prend le genre et le nombre du pronom (*nous*) qu'il remplace. Dans cet emploi, le *s* de *tous* est sonore (contrairement à l'emploi comme déterminant : *tous les enfants*).

5. Les enfants se sont dits **tout** penauds de leur mauvais coup.

▸ Au sens de « entièrement », *tout* est adverbe, et donc invariable.

6. Le directeur a prévenu les retardataires que **toute** autre absence entraînerait le renvoi.

▸ Quand il signifie « n'importe quel », *tout* est déterminant et s'accorde avec le nom qu'il détermine (*absence*, au féminin singulier). On pourrait formuler ainsi : *toute absence autre*.

7. **Tous** les auteurs de ce recueil sont nés en Gaspésie, et **tous** ont vanté ce coin de pays.

▸ Dans *tous les auteurs*, *tous* est un déterminant défini qui s'accorde avec le nom qu'il détermine (*auteurs*, au masculin pluriel). Dans la deuxième partie de la phrase, *tous* est un pronom indéfini qui prend le genre et le nombre du nom qu'il remplace (*tous les auteurs*). Dans cet emploi, le *s* de *tous* est sonore (contrairement à l'emploi comme déterminant : *tous les enfants*).

8. **Toute** bouteille, **toute** boîte, **tout** emballage sera ramassé (ou seront ramassés) dès la fin de la fête.

▸ Au sens de « chaque », *tout* est un déterminant indéfini qui s'accorde avec le nom qu'il détermine (*bouteille*, au féminin singulier, *boîte*, au féminin singulier, et *emballage*, au masculin singulier).

9. Il faut de **tout** pour faire un monde, c'est bien connu.

▸ Pronom indéfini neutre qui reste invariable.

10. Une fois pour **toutes**, je te le répète : **tous** et **toutes** ont été invités.

▸ Dans l'expression *une fois pour toutes*, *toutes* est toujours au pluriel. Dans la deuxième partie de la phrase, *tous* et *toutes* sont des pronoms qui prennent la marque du genre et du nombre. *Tous* étant employé comme pronom, le *s* est sonore (contrairement à l'emploi comme déterminant : *tous les enfants*).

1. Dès que le fumet de la tarte aux pommes se répand, voilà les enfants qui arrivent **ventre** à terre.

2. Ce nouveau téléphone intelligent coûte les yeux de la **tête**.

3. Le proverbe dit : Entre l'arbre et l'écorce, il ne faut pas mettre le **doigt**.

4. L'étalage de sa fortune ne sert qu'à jeter de la poudre aux **yeux**.

5. Ne vous inquiétez pas, il vous paiera rubis sur l'**ongle**.

6. C'est un malveillant qui se plaît à faire des **gorges** chaudes des faiblesses d'autrui.

7. Après avoir participé à un marathon de danse, la voilà maintenant sur les **genoux**.

8. Comptez sur lui pour se défendre **bec** et ongles.

9. On se tient les **coudes** dans cette communauté.

10. Il faut savoir lever le **pied** de temps à autre pour ralentir le rythme du quotidien.

1. Mon billet a coûté **quelque** 60 $.
   ▶ Ici, *quelque* signifie « environ » : il est adverbe et donc invariable.

2. **Quelle que** soit votre position, appuierez-vous le nouveau règlement ?
   ▶ *Quel que* (*quelle que*) placé immédiatement devant le verbe *être* au subjonctif est un déterminant relatif qui s'écrit en deux mots et qui s'accorde avec le sujet du verbe (*position*).

3. **Quels** amis ont-ils été contactés ?
   ▶ Le déterminant interrogatif *quel* s'accorde avec le nom qu'il détermine (*amis*).

4. **Quelque** record qu'il ait battu, sa soif d'honneurs est toujours aussi vive.
   ▶ *Quelque* suivi d'un nom et de *que* est de registre littéraire et signifie « quel que soit ». Le déterminant s'accorde avec le nom qu'il détermine (*record*).

5. Je ne l'ai vu que **quelques** fois, trois ou quatre fois peut-être.
   ▶ Devant un nom pluriel, *quelque* est un déterminant indéfini qui s'accorde avec le nom qu'il détermine (*fois*) et qui signifie « un petit nombre de ».

6. **Quelque** bonasses qu'ils soient, ils ont quand même vite découvert la supercherie.
   ▶ Ici *quelque* signifie « aussi » ; il est adverbe et donc invariable.

7. Le livreur m'a remis trois dollars et **quelques**.
   ▶ Dans cette locution, *quelques* est toujours au pluriel.

8. **Quelque** pressé que vous soyez, attendez encore un peu.
   ▶ Ici *quelque* signifie « aussi » ; il est adverbe et donc invariable.

9. Son horaire est si bien planifié **qu'elle** est rarement en retard à ses rendez-vous.
   ▶ Il s'agit ici de la conjonction *que* et du pronom personnel *elle*.

10. Je suivrai tes recommandations, **quelles qu**'elles soient.

▶ *Quel que*, *quelle que* placé immédiatement devant le verbe *être* au subjonctif est un déterminant relatif qui s'écrit en deux mots et qui s'accorde avec le sujet du verbe (*elles*, mis pour *recommandations*).

CORRIGÉ

1. **Faux**, il manque la lettre *M*.

2. **Vrai.**

3. **Faux**, les noms d'olympiades s'écrivent généralement avec les chiffres romains.

4. **Vrai.**

5. **Faux**. Pour multiplier un chiffre romain par 1000, on place un trait de soulignement au-dessus du chiffre que l'on veut multiplier.

6. **Vrai.**

7. **Vrai.** Pour écrire *9* par exemple, on ne peut écrire *VIIII*; on doit alors recourir à la soustraction *IX*.

8. **Vrai.** On écrit maintenant *IV*, mais on a déjà écrit *IIII*. On trouve encore cette façon de noter sur certains cadrans de montres, par exemple.

9.

CHIFFRES ARABES		CHIFFRES ROMAINS
1957	correspond à	MCMLVII
45	correspond à	XLV
359	correspond à	CCCLIX
2948	correspond à	MMCMXLVIII
3056	correspond à	MMMLVI

10.

CHIFFRES ROMAINS		CHIFFRES ARABES
CXXVIII	correspond à	128
XXXII	correspond à	32
LXIV	correspond à	64
MCCI	correspond à	1201
CD	correspond à	400

INDEX